# 快乐汉语 ③

## 教师用书

编　者　李晓琪　罗青松　刘晓雨
　　　　王淑红　宣　雅

人民教育出版社

# 教材项目规划小组

严美华　　姜明宝　　张少春
岑建君　　崔邦焱　　宋秋玲
赵国成　　宋永波　　郭　鹏

快乐汉语
**教师用书**
第三册

李晓琪　罗青松　刘晓雨　王淑红　宣　雅　编著

＊

人民教育出版社出版发行
网址：http://www.pep.com.cn
人卫印刷厂印装　　全国新华书店经销

＊

□□毫米×1 240 毫米　1/16　印张：12.75　字数：232 000
2003 年 11 月第 1 版　2005 年 12 月第 3 次印刷
印数：4 201～7 200

ISBN 7－107－17133－X
G·10223（课）　　定价：35.00 元

如发现印、装质量问题，影响阅读，请与出版科联系调换。

（联系地址：北京市海淀区中关村南大街 17 号院 1 号楼　邮编：100081）

# 编写说明

本教材使用对象是以英语为母语的11-16岁中学生。全套教材分为三个等级（第一册、第二册和第三册），每个等级有课本（学生用书）和配套的教师用书，全套教材共六本。每册可使用一学年，参考学时为90-100学时，使用者可根据学生以及课堂教学具体情况进行调整。

教材内容（话题、汉字、词语、语法项目、文化点等）和练习项目（听、说、读、写等各项语言技能训练）的设置参照了部分英语国家的中学汉语课程大纲和考试大纲，并根据基本交际的需要以及课堂教学的特点，进行了系统的调整与补充。

## 1 等级划分

### 1.1 基本分级

第一册：汉字180个，生词171个，句型93个。

第二册：汉字206个，生词203个，句型123个。

第三册：汉字206个，生词280个，句型123个。

### 1.2 对等级划分的说明

1.2.1 以上等级划分中汉字数量是指达到认读要求的汉字，要求会写的汉字略少，约占认读总数的70-80%。

1.2.2 本着教材内容贴近学生生活，引起学生兴趣以及满足基本交际需要的原则，本教材特别注重日常交际中使用频率高，实用的词语和句型。

1.2.3 本教材的语法项目，是根据话题交际的需要而确定的。语法项目在各个单元、各个等级的分配，一是根据语言项目本身的难易程度，二是根据话题表达的需要，三是根据每篇课文的教学容量。

## 2 编写原则

本教材体现针对性、系统性、科学性、趣味性以及独创性原则。

2.1 针对性：使用对象明确定为母语为英语的中学学生。

2.2 系统性：教材从话题、汉字、词语、语法等语言项目以及听、说、读、写、译各项言语技能上都有系统的安排和要求。

2.3 科学性：课文语料力求自然、严谨；语言点解释科学、简明；内容编排循序渐进；注重词语、句型等教学内容的重现率。

2.4 趣味性：内容丰富，贴近学生生活；练习形式多样，版面活泼，色彩协调美观。

2.5 独创性：本教材充分遵照汉语自身的特点，充分体现该年龄阶段（11-16岁）的中学生的学习心理与语言认知特点；充分吸收现有中学外语教材的编写经验，在教材体例、课文编写以及练习设计等方面都力求改进、创新。

## 3. 教材内容

### 3.1 话题

本教材以话题为主线。每册有8个单元，每个单元涉及1-2个相关话题，如第一册的单元话题有"我的家"、"学校生活"、"时间和天气"等。每个单元包含3篇课文，全册共24篇课文。如"学校生活"单元的3篇课文是"中文课"、"我们班"和"我去图书馆"。全套教材3册，共24个单元，72篇课文。每册书的课文都涵盖了本套教材涉及到的各主要话题，并根据等级不同，对相同的话题在语言内容上逐步拓展，表达形式上逐步丰富，难度上逐步推进。这种"全面覆盖"、"螺旋上升"的编排形式，使学生在学完第一册或第二册后，也可参加相应的考试。同时，也方便有一定的汉语学习背景的学生，直接从第二册或第三册开始学习。对一些根据主话题拓展的子话题，则考虑到各册教材的容量和学生的接受能力，进行了分级。如"教育、培训、就业"专题，在第一册中，只涉及学校教育和日常活动，到第三册才涉及到某些与工作有关的话题。

### 3.2 语法

本教材考虑到学生的年龄特点、学习进程、学习目标等，在学生用书中，基本不涉及语法概念。但是在编写中，通过话题内容的安排，引导学生掌握汉语的基本表达形式。具体做法是：每篇课文根据话题交际的需要选择相应的句型或语言点，编排时则基本以重点句型为课文题目，以突出本课语言训练重点。练习设计也注意通过反复训练，让学生自然领悟一些汉语语法规则，并能够在表达时模仿运用。同时，在每个单元后安排了一个简明的单元小结，对本单元学习的重点句型进行了较为概括的描述，并列举了一些典型的例句。其作用是针对性地帮助学生巩固、复习一个单元的主要语言项目，方便教师进行阶段性的教学总结。在教师用书中，则对课文中涉及的语法现象进行解释、说明，尤其对一些与英语差异较大，或学生不易掌握的语言点，进行必要的教学提示。编写语法说明的目的是方便教师备课，并不是全面的汉语语法解释。

### 3.3 语音

本教材不单独设置语音学习单元，而是随着词语、句子的学习逐步练习正确发音。同时，为方便教师根据需要在课堂上进行语音指导训练，每册教材都附上《普通话声母韵母配合总表》。

汉语拼音是学生学习汉语的重要手段，本教材尽量利用英语中与汉语语音相对应的形式进行引导训练。对汉语较难发的音，在教师用书中作一定的提示，引导学生逐步掌握汉语拼音及其拼写规则。

考虑到该年龄段学生语音模仿能力强，是学习正确发音的良好时机，在基本的语言学习内容之外，本教材还适当安排一些游戏性的语音练习材料供学生练习发音用，如歌谣、古诗、绕口令、谜语等。这类练习材料有拼音，有汉字，并且配有英文。

## 3.4 汉字

汉字教学以认读为基本要求，适当选择一部分常用汉字练习书写。原则上每课要求练习书写的汉字5个（第一册少于5个，逐册增加）。学生课本上安排笔画、笔顺的练习。教师用书中，对一些有书写要求的汉字，尽量提供相关的汉字知识或教学材料（图片、故事等），使得汉字教学生动形象。

## 3.5 言语技能训练

本教材注重学生言语技能的训练。全套教材每篇课文的练习形式都包含"听、说、读、写、译"五个基本项目。

## 4 教材结构

本教材含学生用书和教师用书，教师用书将教学指导与练习册合二为一。此外，还设计了生词卡、汉字卡以及教学挂图、录音、录像等辅助教学材料。

## 4.1 学生用书

### 4.1.1 内容编排体现教学的基本步骤。

内容编排上打破传统汉语教材在每课内容编排上只是将课文、生词、练习等机械排列的做法，而是在编排上体现教学步骤与训练方式，贴近实际课堂教学，便于教师课堂操作。

### 4.1.2 课文内容富有趣味性，现实性。

选材生动活泼、话题真实可感，能激发和调动学生的想象力和创造性。

### 4.1.3 练习形式多样。

注意学生的年龄特点和语言学习的特点，练习设计鼓励学生的参与意识，练习形式富有互动性、合作性。

### 4.1.4 丰富的文化含量。

注意引导学生在学习汉语的同时，了解中国的基本情况，如主要城市、名胜古迹、节日、传统习俗、社会生活等。此外，本教材还根据需要配以具有中国特色的图片（剪纸、泥塑、国画、实景照片等），以形成教材文化方面的特色。

## 4.2 教师用书

既适合母语为汉语的教师使用，也适合母语为非汉语的教师使用。

### 4.2.1 提示每课的教学步骤、训练方法及练习答案。

### 4.2.2 充实、拓展教学材料。在学生课本的基础上，对教学内容、各项练习加以丰富。设计的练习在内容上有一定弹性，在难度上则有适当的阶梯性，可以供教师根据学生兴趣、水平和学时安排等具体情况进行选用。

### 4.2.3 提示语言知识点。对一些语言点、词语运用规则以及语音等方面的问题，进行解释，并做出相应的教学提示。考虑到汉字教学是对外汉语教学的难点，为了帮助教师指导学生学习汉字，本书将基本汉字知识分为十六个要点，分布在第一、二

册的十六个单元进行了简明介绍。

4.2.4 提示文化背景。对一些涉及中国文化的知识点，进行解释说明，并配有英文翻译。

4.2.5 提供单元测试题。测试内容既对本单元的话题、句型以及词语等方面的内容进行总结，又在测试形式上尽量与中学外语测试题的形式靠拢，以便使学生逐步适应考试要求。

4.3 其他辅助材料

　　为方便使用本套教材进行课堂教学，加强教学效果，本教材还设计了相关的辅助教学材料。

4.3.1 挂图：共10张，包括数字、时间、日期，天气、食物、房间、用品等主题，以及声母、韵母等语音练习材料。

4.3.2 生词卡：每册提供若干易于表示形象的生词卡（一册102个，二册127个，三册93个)，帮助教师在教学中指导学生认读生词、领会词义、练习发音使用。

4.3.3 汉字卡：每册提供要求书写的全部汉字卡，汉字卡上有读音、书写运笔方向和笔顺的提示。供学生练习汉字书写使用。

4.3.4 录音带：包括三册所有课文中的生词、句型、课文及听力练习的录音。

4.3.5 录像带：包括与教材内容相关的中国社会生活的背景材料，供教师在课堂教学中配合课文学习播放，丰富学生对汉语和中国文化的感性认识。

　　为中学生编写趣味性强，同时又较好体现出第二语言学习规律的汉语教材，是一件创造性的劳动。本教材一定还有需要改进和提高的方面，编写组欢迎使用者提出修改意见。

《快乐汉语》编写组

2003 年 5 月于北京

# 目录

# 第一课　我从北京来

## 教学目标

**交 际 话 题：**个人信息。

**语 言 点：**我从北京来。

**生 词：**从　姓名　性别　国籍　出生　日期
地点　职业　住址　电话　电子邮件

**汉 字：**从　性　出　期　住　邮

 **一、基本教学步骤及练习要点**

（一）导入：

复习：

用汉语问答：

　　　　你叫什么（名字）？

　　　　你姓什么？

　　　　你是哪国人？

　　　　你家在哪儿？

　　　　你多大？

　　　　你的生日是几月几号？

　　　　他是谁？

领读生词。

（二）做练习1，把词语和相应的回答用线连起来。练习目的是通过认读，了解有关个人信息的项目。

（三）做练习2，根据录音选择正确的图片。练习目的是听懂本课的生词和有关内容。

（四）做练习3，模仿对话，练习目的是就个人信息进行问答。其中第3）组中"我从北京来"是新句型，要重点多练。

（五）做练习4，翻译。练习目的是掌握本课的句型和生词的意义。

根据学生情况，可以老师说句子，学生听后口头翻译。也可以让学生朗读句子后做口头翻译。

（六）做练习5，把问题和相应的回答用线连起来。这是一个综合练习，练习目的一是掌握有关个人信息的问、答方法，二是认读有关的汉字。

（七）做练习6，参照例句或课文前面的个人信息表格，做自我介绍。这也是一个综合练习，练习目的一是看懂表格项目，二是会用本课和以前学会的词语和句型进行表达，这是真实的口头操练。

（八）做练习7，写汉字。

（九）教师用书练习说明：

练习5是个口头表达练习，根据学生情况，可以用两种方法进行。

一是一个学生用A部分问问题，另一个学生在B部分中找到相应答案。

二是如果学生水平较高，可以不提供A部分的问题。在B部分中任选一个回答，自己想应该怎么问，然后进行对话。其他依次进行。


附：录音文本和练习答案

练习2

（1）丽丽不工作，她是学生。

（2）明明的生日是一九九四年七月三十号。

（3）小海从香港来。

（4）他是一个男孩子。

（5）我的电话是82305764。

（6）Tom家有七个人。

（7）我今年十四岁，我比小红大。

（8）我在上海出生，现在我的家在北京。

 ## 二、练习与课堂活动建议

（一）根据课文判断正误。

（1）李小红的家在北京。

（2）李小红家有七个人。

（3）李小红喜欢看电影。

（4）李小红不会说英语。

（5）北京有故宫和长城。

（6）小海比明明大一点。

（7）小海从上海来。

（8）明明的家在北京。


（二）把拼音写在相应的汉字上，然后用英文填写表格。

| chūshēng | dìdiǎn | diànhuà | diànzǐ | yóujiàn |
| guójí | rìqī | xìngbié | xìngmíng | zhíyè | zhùzhǐ |

| 姓名 | | 性别 | | 国籍 | |
|---|---|---|---|---|---|
| 出生日期 | | 出生地点 | | | |
| 职业 | | 住址 | | | |
| 电话 | | 电子邮件 | | | |

（三）根据拼音写中文。

(1) Nǐ hǎo, wǒ jiào Lìli, wǒ shì yí ge xuésheng.

_____。

(2) Wǒ shì Zhōngguórén, wǒ zài Běijīng chūshēng, xiànzài wǒ jiā zài Shànghǎi.

_____。

(3) Wǒ de shēngri shì yìjiǔjiǔ'èr nián wǔyuè liù hào, wǒ jīnnián shíyī suì.

_____。

(4) Wǒ yǒu yí ge péngyou, tā zhè ge xīngqī cóng Běijīng lái.

_____。

（四）找找本课有"女"这个部分的汉字，写在下面，看看这些字有哪几个部分。

（五）参考下面的问题和回答，进行对话。

A：

| |
|---|
| 你姓什么？ |
| 你叫什么名字？ |
| 你是哪国人？ |
| 你在哪儿出生？ |
| 你的生日是几月几号？ |
| 你家在哪儿？ |
| 你从哪儿来？ |
| 你的电话是多少？ |

B：

| |
|---|
| 我在……出生。 |
| 我是英国人。 |
| 我姓…… |
| 我的电话是…… |
| 我的出生日期是…年…月…号。 |
| 我家在…… |
| 我从……来。 |
| 我叫…… |

（六）朗读并翻译。

(1) 你好，我叫Mike，今年十二岁，我是英国人。

(2) 今年暑假我去了中国的北京，看了有名的故宫和长城，故宫和长城真漂亮。

(3) 我有很多新朋友，他们都是北京的学生，有男孩子，也有女孩子。

(4) 我们一起说英语，真有意思。我不会说汉语，我很想跟他们一起说汉语，所以我想学汉语。

附：练习答案

（一）练习1

(1)正　(2)误　(3)误　(4)误　(5)正　(6)正　(7)误　(8)误

（二）练习3

(1) 你好，我叫丽丽，我是一个学生。

(2) 我是中国人，我在北京出生，现在我家在上海。

(3) 我的生日是一九九二年五月六号，我今年十一岁。

(4) 我有一个朋友，他这个星期从北京来。

（三）练习4

好（女＋子，原来的字形是女人抱着孩子，意思是女人，美丽。）

姓（女＋生，最早的人类社会是母系为中心，女人地位尊崇，姓随母亲。）

奶（女＋乃，左边是意思，右边是发音。）

妈（女＋马，左边是意思，右边是发音。）

## 三、语言点与背景知识提示

（一）从＋名词＋动词

"从"与词或词组构成介词词组，用在动词前，可以表示起点，比如本课学习的表示处所的"我从北京来""我从上海来"。

能出现在"从"后的词语主要有以下一些：

① 从＋国家／城市名：从英国回来　　从北京来

② 从＋处所名词：从商店买了两斤苹果　　从图书馆借了一本书

③ 从＋这儿／那儿：从这儿往前走　　从那儿回家

（二）语音练习中的诗

这是唐朝无名氏的一首风景诗，描述游人眼中的炊烟、人家、亭台、花树，非常恬静优美，诗人巧妙地把数字安排在诗中，使这首诗琅琅上口，容易记忆，而且别有情趣。

This is a landscape poem written by an anonymous Tang dynasty poet. It describes the peaceful and elegant view of smoke from kitchen chimneys, families, pavilions, terraces, flowers and trees in the eyes of tourists. The poet skillfully puts numbers in the poem, making it easy to pronounce and remember, with a special appeal.

# 第二课　我想来兼职

## 教学目标

交际话题：个人经历。

语言点：除了英语以外，我还会法语。

课虽然难，可是很有意思。

你说得很好。

你来试试吧。

生词：除了……以外　训练　虽然　可是　女士

兼职　申请　外语　请　做　生意　试

汉字：外　语　练　请　可　试

## 一、基本教学步骤及练习要点

（一）导入：

问问学生昨天、周末或假期做了什么，感觉怎么样。

问学生以后想做什么工作，做这个工作要会什么。

领读生词。

（二）做练习1，把词语和相应的英文用线连起来。练习目的是通过认读，了解本课生词的扩展用法。

（三）做练习2，根据录音判断图的正误。练习目的是听懂本课的有关内容。

（四）做练习3，替换练习，练习目的是掌握本课的句型用法。

根据学生的水平，或只做替换练习，或把替换后的句子放入一个更长的句子或对话中，比如1）的第一个替换句为"Tom 除了会英语以外，还会汉语"，可以做成对话：

——Tom 会什么外语？

——Tom 除了会汉语以外，还会法语。

（五）做练习4，翻译。练习目的是掌握本课的句型和生词的意义。

根据学生情况，可以老师说句子，学生听后口头翻译。也可以让学生朗读句子后做口头翻译。

（六）做练习5，根据录音回答问题。这是一个综合练习，练习目的一是听懂与本课有关的话，二是看懂问题，三是会口头回答。

（七）做练习6，回答问题。这也是一个综合练习，练习目的一是听懂或看懂问题，二是会用本课和以前学会的词语和句型进行表达。

这是真实的口头操练，根据学生水平，可以让学生参考这些问题做成一个成段表达，谈谈自己的一次经历。

（八）做练习7，写汉字。

附：录音文本与练习答案

(一) 练习2

(1) Ann今年暑假没有休息。

(2) 那个学校没有外语的训练。

(3) 虽然我想买，可是我没有钱。

(4) 我除了网球以外，还会游泳。

(5) 我爸爸不在学校兼职。

(6) Mary 的汉语说得不好。

(7) 哥哥常常去做生意。

(8) 这件衣服好吗？请试试吧。

答案：

(1) ✓　　(2) ×　　(3) ×　　(4) ×　　(5) ×　　(6) ✓　　(7) ×　　(8) ×

(二) 练习5

(1) A：你今年暑假做了什么？

　　B：我去了一个英语学校。

　　A：你在那个学校学什么？

　　B：除了英语以外，还学习电脑。

(2) A：你们学校的课多吗？

　　B：不很多。

　　A：课难吗？

　　B：虽然难，可是很有意思。

(3) A：你吃过中国菜吗？

　　B：没吃过。

　　A：想不想试试？

　　B：我很想试试。

 **二、练习与课堂活动建议**

\* **练习**

(一) 根据课文判断正误。

(1) 我今年暑假在一个学校上课。

(2) 这个学校有英语的训练，没有电脑课。

(3) 课不难，很有意思。

(4) 学生们常常一起说英语。

(5) 我跟新朋友一起学习，还一起运动和看电影。

(6) 我的英语很好，还会法语。

(7) 我没做过生意，也没工作过。

(8) 那个女士说，我不会做这个工作。

（二）把拼音写在相应的汉字下面。

| chúle jiānzhí kěshì nǚshì shēngyi |
| shì suīrán wàiyǔ zuò shēnqǐng |

(1) 课 虽然 难，可是 很 有意思。
　　Kè ＿＿＿nán, ＿＿＿ hěn yǒuyìsi.

(2) 女士，我 想 来 兼职，这 是 我 的 申请。
　　＿＿＿, wǒ xiǎng lái ＿＿＿, zhè shì wǒ de ＿＿＿.

(3) 你 会 说 外语 吗？
　　Nǐ huì shuō ＿＿＿ ma?

(4) 除了 英语，我 还 会 法语。
　　＿＿＿ Yīngyǔ, wǒ hái huì Fǎyǔ.

(5) 我 没 做 过 生意。
　　Wǒ méi ＿＿＿ guo ＿＿＿.

(6) 你 来 试试 吧。
　　Nǐ lái ＿＿＿ ba.

（三）根据拼音写中文。

(1) Nǐ huì shuō shénme wàiyǔ?
　　＿＿＿＿＿＿＿＿＿＿＿＿

(2) Wǒ xiǎng liànxí dǎ wǎngqiú.
　　＿＿＿＿＿＿＿＿＿＿＿＿

(3) Qǐng nǐ shìshi zhè jiàn yīfu.
　　＿＿＿＿＿＿＿＿＿＿＿＿

（四）找找本课有"讠"这个部分的汉字，写在下面，看看这些字有哪几个部分。

（五）参考下面的问题和回答，进行一个关于工作的面谈。

A：

| 你会……吗？ |
| 你除了……以外，你还会什么？ |
| 请你……吧。 |
| 你说得很好。 |
| 你……过……吗？ |
| 你来试试吧。 |

B：

| 我会…… |
| 除了……以外，我还会…… |
| 我……过…… |
| 我没……过。 |

（六）朗读并翻译。

(1) 我去过很多地方，除了英国以外，我还去过德国、美国和香港。

(2) 虽然每个地方都很好，可是美国的海滩最漂亮，风景好极了。

(3) 我跟爸爸、妈妈一起游泳，还在海滩上踢足球。

(4) 暑假快要来了，今年夏天我跟爸爸妈妈去中国，我太高兴了。

**附：练习答案**

（一）练习1

(1)正　(2)误　(3)误　(4)正　(5)正　(6)正　(7)误　(8)误

（二）练习3

(1) 你会说什么外语？

(2) 我想练习打网球。

(3) 请你试试这件衣服。

（三）练习4：

课　语　训　说　请　试

## \* 课堂活动建议

竞选演说：先确定要竞选的目标，比如学生代表、汉语演讲代表、找工作等，然后选两个学生上前发表竞选演说，说明自己的经历、专长等等，可以互相比。优胜者继续和别的学生比，直到最后选出一个打败所有竞争者的人。

参考词语：我做过……／我去过……

除了……，我还会……

虽然……，可是……

我比他……

我比他……一点儿

越来越……

因为……所以……

## 三、语言点与背景知识提示

（一）动词重叠

很多表示动作的动词可以重叠，表示动作的持续或重复，有尝试的意思，动作持续的时间也比较短。

单音节动词重叠的有：这是你的新衣服，你试试。

我没看过这本书，我想看看。

在花园里走走。

你会汉语吗？请你说说吧。

双音节动词重叠的有：休息休息吧。

明天有考试，我现在准备准备。

（二）动词＋得＋形容词（或词组）

"动词＋得＋形容词"的结构可以表示动作或行为所达到的程度。形容词可以扩展成词组，表示不同的程度，比如：

说得好　说得很好　说得非常好　说得不太好
来得早　来得很早　来得非常早　来得不太早
买得多　买得很多　买得非常多　买得不太多

（三）除了……以外

在第二册的第24课，我们已经学习了"除了……还"，表示在前面部分提到的内容之外，另有增加补充的内容，如：

我除了会说汉语，还会说英语和日语。
他除了去过亚洲，还去过欧洲和非洲。
端午节人们除了吃粽子，还要赛龙舟。

本课学习的是在"除了"后面加上"以外"的用法，"以外"可以省略。比如：

我们今天除了有历史课（以外），还有汉语课。
Mary除了吃面包（以外），还喝牛奶。

注意：

（1）使用"除了"句型时，如果前后动作是同一个主语发出的行为，这个主语也可以出现在"还"的前面，比如：

除了打篮球（以外），我还游泳。
除了上课（以外），他还在一个学校兼职。

（2）如果是同一个主语发出的同一个行为，"除了"后面可以只出现名词，比如：

我除了牛肉和鸡肉，还喜欢吃鱼。
除了英语，我还会说法语。

（四）汉字的演变

汉字出现以后，形体发生过很大的改变。最早的汉字是三千多年前刻在龟甲或兽骨上的甲骨文。甲骨文的笔画一般是直线，字的形状也自然成为方块形。

两千多年前，出现了大量的青铜器，上面有很多祭祀等内容的文字，这就是金文。金文的笔画已经明显地显示出弯曲圆转的线条，字体也比较丰满。

秦始皇统一中国以后，以秦国的文字为本，制定了规范的字体，叫做小篆，字体更加符号化。

后来为了应付大量的公文抄写和适应毛笔的出现，小篆的圆转笔画又改成了笔直的写法，成为隶书。

后来在隶书基础上还发展出字形潦草的草书和端正工整的楷书，以及介于楷书和草书之间的行书，行书成为人们喜欢的一种书写体。文字学上一般把甲骨文、金文、小篆称为古文字，隶书以后的称为近代汉字。

下面是几个常用汉字的几种不同的字体，从上面的介绍中，你可以体会它们各自的特点吗？

| | 甲骨文 | 金文 | 小篆 | 隶书 | 楷书 | 草书 | 行书 |
|---|---|---|---|---|---|---|---|
| | 馬 | 馬 | 馬 | 馬 | 馬 | 馬 | 馬 |
| | 网 | 网 | 网 | 網 | 網 | 網 | 網 |
| | 户 | 户 | 户 | 户 | 户 | 户 | 户 |

## The Evolution of Chinese Characters

Since the appearance of Chinese characters, form and structure have undergone major changes. The earliest Chinese characters, called oracle bone inscriptions, were carved onto tortoise shells or animal bones three thousand years ago. Most of the strokes of oracle bone inscriptions are straight, so the characters are naturally square-shaped.

Over two thousand years ago, there were large numbers of bronzes utensils in China, on which were written many characters describing sacrifices to the gods, among other things. These characters are called bronze inscriptions. The strokes of bronze inscriptions already clearly display curves, and the script is rather well developed.

After Emperor Qin unified China, he instituted a standard script based on the characters of the Qin Kingdom, called the lesser seal script. The script is more symbolic.

Later, in order to deal with the mass transcription of official documents, and to adapt to the emergence of the brush, the curved strokes of the lesser seal script were again changed to be written with straight strokes. This script is called the "official script".

Later, on the foundation of the official script developed a hasty, careless cursive script, and a proper, carefully and neatly written regular script, as well as a running script stylistically situated between the cursive and regular scripts. The running script became a popular script among the people. In philology, oracle bone inscriptions, bronze inscriptions, and the lesser seal script are usually called ancient scripts, while the official script and all subsequent scripts are called modern scripts.

Above are some commonly-used Chinese characters written in several different scripts. Can you get a feel for the characteristics of each script from the explanations above?

# 第三课　我们给他打电话吧

## 教学目标

交 际 话 题：推荐朋友。

语 言 点：这张名片是谁的？

他替一个饭馆送外卖。

我们给他打电话吧。

生 词：赚钱 可以 饿 张 名片 替 送

外卖 给 打 菜单 羊肉 快餐

汉 字：替 卖 饿 给 片 羊

 **一、基本教学步骤及练习要点**

（一）导入：

你有过替人送外卖的经历吗？给同学们讲一讲。

领读生词。

（二）做练习1，把词语和相应的英文用线连起来。练习目的是通过认读，了解本课部分生词的扩展用法。

（三）做练习2，根据录音判断图的正误。练习目的是听懂本课的句型。

（四）做练习3，替换练习，练习目的是掌握本课的句型用法。

根据学生的水平，或只做替换练习，或把替换后的句子放入一个更长的句子或对话中。比如1）的第一个替换句为"我可以喝茶吗"，可以做成对话：

——可以喝茶吗？

——可以，你喜欢什么茶？

（五）做练习4，翻译。练习目的是掌握本课的句型和生词的意义。

根据学生情况，可以老师说句子，学生听后口头翻译。也可以让学生朗读句子后做口头翻译。

（六）做练习5，连线。这是一个综合练习，练习目的是掌握一些固定表达方法。

（七）做练习6，模仿会话。这也是一个综合练习，练习目的是用本课的句型和以前学过的词语进行口头表达。

（八）做练习7，写汉字。

**附： 录音文本与练习答案**

（一）练习1

(1) g 　(2) e 　(3) c 　(4) b 　(5) h 　(6) a 　(7) d 　(8) f

（二）练习2

(1) 我现在很饿。

(2) 这个名片不是我的。

(3) 小海病了，明明替他买东西。

(4) 我替商店送牛奶。

(5) 请给丽丽打电话，她的电话是 63859402。

(6) 我不吃羊肉，我吃牛肉。

(7) 我常常吃快餐。

(8) 你可以往左走。

答案：

(1) ×　　(2) ✓　　(3) ✓　　(4) ×　　(5) ✓　　(6) ✓　　(7) ×　　(8) ×

（三）练习5

(1) c　　(2) e　　(3) f　　(4) a　　(5) b　　(6) d

 **二、练习与课堂活动建议**

（一）根据课文判断正误。

(1) 我的朋友从广州来。

(2) 他在我们学校的图书馆工作。

(3) 他比我高。

(4) 他以前没有做过兼职。

(5) 他来兼职，不是想赚钱。

(6) 他的家很远，他开车来上班。

(7) 我们今天去饭馆吃饭。

(8) 我的朋友会做羊肉快餐。

（二）把拼音写在相应的汉字下面。

> dǎ è kěyǐ kuàicān gěi míngpiàn sòng
> tì wàimài yángròu zhuàn qián càidān

(1) 他 做 这 个 工 作，不 是 因 为 想 赚 钱。
　　Tā zuò zhè ge gōngzuò, bú shì yīnwèi xiǎng _____.

(2) 他 可 以 来 试 试 吗?
　　Tā _____ lái shìshi ma?

(3) 我 饿 了，看 看 菜 单 吧。
　　Wǒ ___ le, kànkan ___ ba.

(4) 这 个 名 片 是 谁 的?
　　Zhè ge _____ shì shéi de?

(5) 他 替 一 个 饭馆 送 外卖。

　　Tā ___ yí ge fànguǎn _____.

(6) 我 们 给 他 打 电 话 吧。

　　Wǒmen ___ tā ___ diànhuà ba.

(7) 我 想 吃 羊 肉 快 餐。

　　Wǒ xiǎng chī _____ _____.


（三）根据拼音写中文。

(1) Wǒ yǒu hěn duō qián, wǒ xiǎng mǎi chàngpiàn.

　　_____

(2) Wǒ èle, wǒmen gěi fànguǎn dǎ diànhuà, yào wàimài, hǎo ma?

　　_____

(3) Jīntiān chúle yǒu yú yǐwài, háiyǒu yángròu.

　　_____

（四）找找本课有"亻"这个部分的汉字，写在下面，看看这些字有哪几个部分。


（五）参考下面的问题和回答，进行一个关于订外卖的电话交谈。

A：

| 请问，是……饭店吗? |
| 你们的饭店送外卖吗? |
| 你们有什么饭菜? |
| 我想要…… |
| 我叫…… |
| 我的住址是…… |
| 我的电话是…… |
| 谢谢。 |

B：

| 这是……饭店。 |
| 我们替人送外卖。 |
| 我们有很多菜，除了…… 以外，还有…… |
| 请问您的姓名? |
| 您的住址是哪儿? |
| 你的电话是多少? |
| 好，我们十二点给你送菜。 |
| 不用谢。 |


（六）朗读并翻译。

(1) Mary 今天感冒了，她没有来上课，我晚上给她打了电话。

(2) 虽然她很不舒服，可是她现在越来越好了。

(3) 她去了医院，医生说，每天喝很多水，休息休息，可以好一点儿。

(4) 我明天去她家看看，我给她准备了新买的唱片。


附：练习答案

（一）练习2

(1)正　(2)误　(3)误　(4)误　(5)正　(6)误　(7)误　(8)误

(二）练习 3

(1) 我有很多钱，我想买唱片。

(2) 我饿了，我们给饭馆打电话，要外卖，好吗?

(3) 今天除了有鱼以外，还有羊肉。

(三）练习 4

他　做　们　什　你

 三、语言点与背景知识提示

(一) 替+代词／名词+动词

"替"在本课是介词，用来介绍服务的对象，"替"的后面可以跟名词， 比如

　　妈妈替孩子买衣服。

　　我替朋友寄信。

也可以跟代词，比如：

　　请替我准备准备衣服。

　　我替他做了早饭。


(二) 给+代词／名词+动词

"给"在本课是介词，用来引进事物的接受者，"给"后面可以跟名词，比如：

　　给小红写信（小红收到信）

　　给朋友买书（朋友有了书）

也可以跟代词，比如：

　　给他打电话（他接到电话）

　　给他们上课（他们得到了学习）


(三) 汉语中有一些字很奇妙，它由完全相同的几个部分组成，而且这些组成部分本身也都是一个个独立的"小汉字"，如果你认识这些"小汉字"，是不是也可以一眼就看出"大汉字"的意思呢? 比如：

森：一根木是树，很多很多木就是"森林"。

鑫：金子很多，就是"财富兴盛"。

晶：一个太阳已经够亮了，三个太阳不是更"光亮"吗?

淼："水很大"的意思。

众："很多人"的意思。

Some Chinese characters are a little odd. They are built up of several identical parts, and each part is a "small character" of its own. If you know the "small character", can you immediately catch the meaning of the "big character"? For example:

森：One 木 means tree, a lot of 木 means "forest".

鑫：A lot of gold (金) means you are "rich".

晶：One sun (日) is bright enough, and aren't three suns even "brighter"?

淼：Means "a lot of water (水)".

众：Means "a lot of people (人)".

# 第一单元测验

1、听录音选择答案。

    (1) My telephone number is:

        a. 62831594      b. 62837594

    (2) My birthday is:

        a. 24 October, 1993   b. 24 April, 1993

    (3) I know much about computer besides:

        a. English       b. Chinese

    (4) I want to:

        a. do it        b. try it

    (5) The name card is:

        a. mine       b. my friend's

    (6) Let's buy him:

        a.fast food      b. a take-away meal

2、按照要求进行口头表达，表达要包含括号里的内容。

    (1) 说说你昨天的经历

    (2) 推荐一个朋友来参加汉语表演

    (除了……以外    还    虽然……可是    试试)

3、朗读。

    今年暑假我跟哥哥一起去了中国的北京。虽然北京很热，可是风景很漂亮。我们给朋友买了很多北京的东西，很有意思，他们都很高兴。

4、根据拼音写汉字。

    (1) Wǒ xiànzài yào liànxí wàiyǔ.

    _____

    (2) Nǐ è ma? Shìshi yángròu ba.

    _____

    (3) Zhè ge xīngqī wǒ qǐng tā chī fàn.

    _____

5、翻译。

    (1) 把英文翻译成中文。

    a. Where are you from?

b. My birthday is 18 July, 1992.

c. The school is quite far but I can drive.

d. Please buy me a bottle of juice.

(2) 把中文翻译成英文。

a. 你的电话是多少？

b. 除了上海以外，我还去过香港。

c. 这件衣服很舒服，你可以试试。

6、把左边和右边的句子用线连起来成为一句话。

(1) 虽然课很难　　　　　　a. 还可以买东西

(2) 除了可以看风景　　　　b. 你替我买快餐吧

(3) 我没替他买东西　　　　c. 也没做过兼职

(4) 除了故宫以外　　　　　d. 所以他很不高兴

(5) 我今天不做饭　　　　　e. 可是很有意思

(6) 他没做过生意　　　　　f. 我还去了长城

# 第一单元测验答案

**1、听录音选择答案。**

(1) 我的电话是62837594。

(2) 我的出生日期是一九九三年十月二十四号。

(3) 我除了英语以外，还会电脑。

(4) 这个工作很有意思，我想试试。

(5) 这张名片是我的朋友的。

(6) 我们给他买快餐吧。

答案：

(1) b　　(2) a　　(3) a　　(4) b　　(5) b　　(6) a

**4、根据拼音写汉字。**

(1) 我现在要练习外语。

(2) 你饿吗？试试羊肉吧。

(3) 这张星期我请他吃饭。

**6、把左边和右边的句子用线连成为一句话。**

(1) e　(2) a　(3) d　(4) f　(5) b　(6) c

## 第四课　北京有一个很大的广场

### 教学目标

交 际 话 题：城市概况。

语 言 点：我出生的城市没有北京那么大。

北京有一个很大的广场。

北京有六十多个博物馆。

生　　　词：城市　广场　博物馆　风筝

那么　多　北(边)　展览

汉　　　字：博　场　筝　市　展　览

 **一、基本教学步骤及练习要点**

（一）导入：

本课学习"谈城市概况"，本课以北京为例，简要地介绍了北京最典型的场所：天安门广场。教师在导入本课时，可以让学生简要描述他们的城市，或者他们去过的印象深刻的城市，也可以适当提问：那个城市大吗？那个城市有广场吗？那个城市人多吗？那个城市有博物馆吗？你喜欢去博物馆吗？博物馆的展览有意思吗？

（二）读生词，教师可以让学生先看生词表，然后领读，注意纠正学生的发音。

（三）学习课文：1)教师让学生分组朗读课文；2)教师领读；3)讲解课文；4)让学生个别朗读课文，或分角色朗读课文(二)的对话。讲解时可以用提问的方法，教师把课文中的主要句子改成疑问句，让学生回答问题；同时讲解课文。

（四）做练习1，熟悉本课的重点词语。

（五）做练习2，本练习的六个问题都是与本课的课文有关的，目的在于让学生从听觉的角度进一步熟悉课文，提高听力理解能力。

（六）讲解本课语法点：A 没有 B 那么大（参见本课语言点与背景知识提示1）

北京没有广州那么热。

我出生的城市没有北京那么大。

这件衣服没有那件衣服那么贵。

（七）讲解本课语法点：……的时候

秋天的时候，天安门广场有很多风筝。

冬天的时候，北京很冷。

春天的时候，天安门广场有很多花。

夏天的时候，广州热得不得了。

（八）讲解本课语法点：很＋形容词＋的＋名词

很大的广场

很漂亮的花园

很流行的颜色

（九）讲解本课语法点：数词＋多＋量词

二十多件衣服

三十多个学生

四十多瓶水

（十）做练习3，本练习主要目的在于让学生熟悉和掌握本课的主要语法点，在替换练习中掌握句型的规律。在做本练习时，教师也可以灵活掌握，如，可以用提问的方式，首先提出与本练习的句子内容相关的问题，如："你出生的城市大吗／你出生的城市比北京大吗？""北京比香港热吗？"让学生用替换练习中的句子回答。

（十一）练习4，可以要求学生首先朗读句子，然后再做翻译。

（十二）练习5是一个看图说话题，图片与本课的课文有关，练习中给出了提示词语和句型，可以鼓励学生多说，但是所给的提示只是参考，不必要求学生逐一完成。本练习目的在于锻炼学生的汉语口语表达能力，把本课学习的词语和句型应用到实际的情境中去。

（十三）做练习6，写汉字。

（十四）做练习7，语音练习。这是一首唐诗，作者为唐代诗人骆宾王。

**附：录音文本与练习答案**

（一）练习2

（1）我出生的城市没有北京那么大。

（2）天安门广场很大。

（3）中国历史博物馆在天安门广场东边。

（4）故宫在天安门广场北边。

（5）北京有六十多个博物馆。

（6）博物馆的展览很有意思。

答案：

（2）×　（3）✓　（4）×　（5）✓　（6）×

\* 练习

（一）根据课文填空。

(1) 我出生的城市＿＿＿＿＿＿＿。

　　　A 没有北京那么大　　　B 跟北京一样大　　　C 比北京大

(2) 北京有一个＿＿＿＿＿的广场。

　　　A 不很大　　B 很大　　C 很小

(3) 天安门广场东边有＿＿＿＿＿＿。

　　　A 故宫　　　B 风筝　　C 中国历史博物馆

(4) 故宫在天安门广场的＿＿＿＿＿。

　　　A 南边　　　B 北边　　C 东边

(5) 北京有＿＿＿＿＿＿多个博物馆。

　　　A 十　　　　B 六十　　C 九十

(6) 博物馆的展览很＿＿＿＿＿。

　　　A 容易　　　B 高兴　　C 有意思

(7) 我喜欢去＿＿＿＿＿。

　　　A 博物馆　　B 图书馆　C 电影院

(8) 北京很＿＿＿＿＿，人很＿＿＿＿。

　　　A 大，多　　B 小，多　C 大，小

（二）给下列短语注拼音并朗读。

(1) 出生的城市　　　　　　＿＿＿＿＿＿＿＿＿

(2) 很大的广场　　　　　　＿＿＿＿＿＿＿＿＿

(3) 秋天的时候　　　　　　＿＿＿＿＿＿＿＿＿

(4) 很多风筝　　　　　　　＿＿＿＿＿＿＿＿＿

(5) 中国历史博物馆　　　　＿＿＿＿＿＿＿＿＿

(6) 天安门广场东边　　　　＿＿＿＿＿＿＿＿＿

(7) 六十多个博物馆　　　　＿＿＿＿＿＿＿＿＿

(8) 广场北边　　　　　　　＿＿＿＿＿＿＿＿＿

（三）看图片，找汉语。

(1)　　　　　　　　　(2)　　　　　　　　　(3)

(4)   (5)   (6)

A 秋天的时候
qiūtiān de shíhou

B 很多风筝
hěn duō fēngzhēng

C 我出生的城市
wǒ chūshēng de chéngshì

D 十多个
shí duō ge

E 历史博物馆
lìshǐ bówùguǎn

F 很大的广场
hěn dà de guǎngchǎng

(四) 看提示，说句子。

(1) 爸爸、妈妈的房间大　我的房间小
bàba、 māma de fángjiān dà　wǒ de fángjiān xiǎo

爸爸、妈妈的房间比我的房间大。
bàba、 māma de fángjiān bǐ wǒ de fángjiān dà.

我的房间没有爸爸、妈妈的房间那么大。
wǒ de fángjiān méi yǒu bàba、 māma de fángjiān nàme dà.

我喜欢大房间。
wǒ xǐhuan dà fángjiān.

(2) 我出生的城市大　这个城市小
wǒ chūshēng de chéngshì dà　zhè ge chéngshì xiǎo

我出生的城市比……
wǒ chūshēng de chéngshì bǐ

这个城市没有……大
zhè ge chéngshì méi yǒu　dà

我喜欢……
wǒ xǐhuan

(3) 我们的学校大　他们的学校小
wǒmen de xuéxiào dà　tāmen de xuéxiào xiǎo

我们的学校比……
wǒmen de xuéxiào bǐ

他们的学校没有……大
tāmen de xuéxiào méi yǒu　dà

我喜欢……
wǒ xǐhuan

(4) 这个体育馆大　　那个体育馆小

这个体育馆比……

那个体育馆没有……大

我喜欢……

(5) 这个电影　　　那个电影　　　有意思

这个电影比那个电影有意思。

那个电影没有这个电影那么有意思。

我喜欢这个电影。

(6) 这件衣服　　　那件衣服　　　漂亮

这件衣服比……

那件衣服没有……

我喜欢……

(7) 这个颜色　　　那个颜色　　　流行

这个颜色比……

那个颜色没有……

我喜欢……

(8) 这个沙发　　　那个沙发　　　舒服

这个沙发比……

那个沙发没有……

我喜欢……

（五）用提示回答问题。

(1) Chūntiān de shíhou Xiǎomíng zuò shénme?
　　春天的时候小明做什么？

(2) Xiàtiān de shíhou Xiǎomíng zuò shénme?
　　夏天的时候小明做什么？

(3) Qiūtiān de shíhou Xiǎomíng zuò shénme?
　　秋天的时候小明做什么？

(4) Dōngtiān de shíhou Xiǎomíng zuò shénme?
　　冬天的时候小明做什么？

| kàn lóngzhōu | zài huāyuán li zuò yùndòng | qù hǎitān | zài tǐyùguǎn dǎ wǎngqiú |
|---|---|---|---|
| 看龙舟 | 在花园里做运动 | 去海滩 | 在体育馆打网球 |

chī yuèbǐng　　　qù Tiānānmén Guǎngchǎng kàn fēngzhēng　　　qù Xiānggǎng kàn péngyou
吃月饼　　　去天安门广场看风筝　　　去香港看朋友

gēn bàba yiqǐ qù jùchǎng kàn jīngjù
跟爸爸一起去剧场看京剧

（六）根据拼音写汉字。

(1) Běijīngshì yǒu yí ge hěn dà de guǎngchǎng.

　　_____。

(2) Gùgōng li de zhǎnlǎn hěn yǒuyìsi.
　　故宫 _____。

（七）翻译句子。

(1) 春天的时候有端午节，我看龙舟，吃粽子。
(2) 秋天的时候有中秋节，我吃月饼。
(3) 夏天的时候我去海滩，中国的东边和南边有很多海滩，漂亮极了。
(4) 我出生的城市有八十多个学校，每个学校都有汉语课。
(5) 香港没有北京那么冷，北京的冬天冷得不得了。

（八）问答搭配。

A

(1) 你出生的城市比北京大吗？
(2) 北京最大的广场叫什么名字？
(3) 秋天的时候广场上有什么？
(4) 天安门广场的东边有什么？
(5) 天安门广场的北边有什么？
(6) 北京有多少个博物馆？
(7) 你喜欢去博物馆吗？

B

a 天安门广场东边有中国历史博物馆。

b 我喜欢去博物馆。

c 北京最大的广场叫天安门广场。

d 北京有六十多个博物馆。

e 天安门广场北边有故宫。

f 我出生的城市没有北京那么大。

g 秋天的时候，天安门广场有很多风筝。

### 附：练习答案

(一) 练习1

(1) A　　(2) B　　(3) C　　(4) B　　(5) B　　(6) C　　(7) A　　(8) A

(二) 练习6

(1) 北京市有一个很大的广场。

(2) 故宫里的展览很有意思。

(三) 练习8

(1) f　　(2) c　　(3) g　　(4) a　　(5) e　　(6) d

### ＊　课堂活动建议

自己的城市：把学生分成若干小组，让每个小组在纸上画出自己想像中的中国城市轮廓。由于本课只学习了描述城市中的一部分内容，可以让学生凭自己的想像画出天安门广场，然后描述出这个广场。

 ### 三、语言点与背景知识提示

(一) A 没有 B ＋那么＋形容词

在本套书里，我们已经学过了几种比较句的句型，如：

(1) A跟B一样：我的自行车跟他的自行车一样。（第二册第9课）

(2) A跟B一样＋动词：我跟爸爸一样喜欢京剧。（第二册第17课）

(3) A跟B不一样：这件衣服跟那件衣服不一样。（第二册第9课）

(4) A比B＋形容词：她比我高。（第二册第2课）

(5) A比B＋形容词＋……：这件衣服比那件贵一点。（第二册第9课）

在本课，我们继续学习比较句 "A没有B＋那么＋形容词" 的结构，在这个句型中，"没有"表示不及，意思是A在程度上不如B，如：

我家没有Ann家那么大。

北京没有广州那么热。

这本书没有那本书那么有意思。

这个电影没有那个电影那么好看。

（二）很＋形容词＋的

在汉语中，"很＋形容词"做定语修饰后面的名词时，通常在"很＋形容词"和名词中心语之间使用结构助词"的"，如：

很大的广场

很漂亮的花园

很流行的颜色

很好吃的点心

很有意思的电影

（三）数词＋多＋量词

"多"用在数词和量词之间，"多"一般用于十位以上的整数，如"二十、三十、四十……"，或"百、千、万……"之后，表示整位数以下的零数。如：

我们班有二十多个学生。

阅览室有一百多本杂志。

我们的大学有五千多个教师。

图书馆有五万多册图书。

（四）"……的时候"（Ⅰ）

本课我们学习"名词＋的时候"这是汉语中比较常见的一个表示时间的用法，用以修饰、说明后面的句子，如：

秋天的时候，天安门广场有很多风筝。

中秋节的时候，中国人都吃月饼。

冬天的时候，北京冷极了。

（五）天安门广场

天安门广场位于北京市市中心，南北长八百八十米，东西宽五百米，面积达四十四万平方米，可容纳一百万人举行盛大集会。是当今世界上最大的城中广场。

天安门城楼座落于广场北端，建于公元1417年，是明代皇城的正门，当时叫"承天门"，有承天启运之意。公元 1651年，清朝政府重新修建这座城楼，才具备了现在的规模。明、清两朝，这里是举行国家重大庆典（如皇帝登极、册立皇后）的地方。

位于天安门广场的正中央，是人民英雄纪念碑和毛主席纪念堂。广场的东边是中国历史博物馆和中国革命博物馆，西边是人民大会堂，南边是正阳门（即前门）。

## Tian'anmen Square

Tian'anmen Square is located in the centre of Beijing city. 880 metres long from north to south, 500 metres wide from east to west, with a surface area of 440,000 square metres, it can hold grand gatherings of one million people. It is the biggest city square in the world.

Tian'anmen gate, located at the north end of square, was built as the front gate of the Imperial City of the Ming dynasty in 1417 A.D. At the time it was called "Chengtianmen", which means undertaking the responsibility from god of starting the country's luck. In 1651 A.D. the Qing government rebuilt the gate in its current scale. Important celebrations (for example, the enthroning of the Emperor and the crowning of the Empress) were held here during the Ming and Qing dynasties.

Located in the middle of Tian'anmen Square are the Monument to the People's Heroes and Chairman Mao's Mausoleum; the Chinese History Museum and the Museum of the Chinese Revolution are to the east of the square; the Great Hall of the People is to the west of the square; and Zhengyangmen gate (also called Qianmen gate) is to the south.

## （六）风筝

风筝在中国已经有两千多年的历史了，大约起源于先秦时代，到现在，已经成为一种特有的民间文化和艺术。

风筝主要由木头、竹子和绘制优美的纸张及纺织品捆扎而成，造型优美，色彩艳丽。主要的风筝产地有：山东潍坊，北京，天津和四川成都。

每当春、秋季时，各种美丽的风筝在晴朗的天空迎风飞翔，很多风筝还可以发出优美的哨声，成为一道有中国特色的独特风景。每年在山东潍坊举办的国际风筝节，吸引了世界各地喜爱风筝艺术的人。

## Kites

Kites in China have a history of over two thousand years, beginning from about the time of the Qin dynasty. Continuously developing kites have become a characteristic cultural and folk art.

Kites are primarily made up of wood and bamboo tied together with exquisitely painted paper or textiles. The modeling is beautiful and the colours are gorgeous. The main kite-producing areas in China are Weifang in Shandong, Beijing, Tianjin and Chengdu in Sichuan.

Each spring and autumn, different kinds of beautiful kites fly against the wind in the sunny sky. Many kites are also able to emit a beautiful whistling sound, creating a unique, characteristically Chinese scene. Each year, the International Kite Festival, held in Weifang, Shandong, attracts kite-lovers from all over the world.

# 第五课　郊区没有污染

## 教学目标

交 际 话 题：环境。

语 言 点：——你家在哪儿?

——我家在城市外边，在郊区。

我家离市中心很远。

生 词：郊区　树木　公共汽车　污染　草　绿(色)

外(边)　安全　离　空气

汉 字：郊 区 树 木 安 全

　**一、基本教学步骤及练习要点**

（一）导入：本课学习关于环境的话题，以郊区为例，介绍了部分描述郊区自然环境的词汇与句型，同时重现了本套书第二册的颜色词和方位词，但是句式难度有所增加。

教师在导入本课话题时，可以以郊区为切入点，让学生说一说他们对郊区的看法，也可以请住在郊区的学生谈谈他们的感受，描述一下郊区的环境；教师可以根据课文的内容提问，引导学生适用于本课有关的词汇和句型，便于后面的教学。

（二）读生词，教师可以让学生先看生词表，然后领读，注意纠正学生的发音。

（三）学习课文：1)教师让学生分组朗读课文；2)教师领读；3)讲解课文；4)让学生个别朗读课文，或分角色朗读课文(二)的对话。讲解时可以用提问的方法，教师把课文中的主要句子改成疑问句，让学生回答问题；同时讲解课文。

（四）做练习1，熟悉本课的重点词语。

（五）做练习2，本练习的六个句子都是与本课的课文有关的，要求学生在听录音的同时判断句子正误，目的在于让学生从听觉的角度进一步熟悉课文,提高听力理解能力。

（六）讲解本课语法点：在＋名词＋方位词（描述方位）

——你家在哪儿?

——我家在城市外边。

他家在城市东边。

（七）讲解本课句型：A离B很远／近

我家离市中心很远。

剧院离汽车站很近。

（八）做练习3，本练习主要目的在于让学生熟悉和掌握本课的主要语法点，在替换练习中掌握句型的规律。开始做的时候，可以由教师提问，并做示范练习，然后让学生分小组完成；或让一个学生提问，其他学生回答。

（九）做练习4，可以要求学生首先朗读句子，然后再做翻译。

（十）做练习5，在这个练习里，左面的a栏是问题，右面的b栏是回答，要求学生在右栏中找出适当的回答，与左栏中的问题连接起来。主要是锻炼学生的阅读能力和综合判断能力。完成连线练习之后，可以让学生朗读每对搭配的问题和回答，也可以由教师提问，让学生回答，尽量让学生不看课本，复述出答案。

（十一）练习6是一个看图说话题，图片与本课的课文有关，练习中给出了提示词语和句型，可以鼓励学生多说，但是所给的提示只是参考，不必要求学生逐一完成。本练习目的在于锻炼学生的汉语口语表达能力，把本课学习的词语和句型应用到实际的情境中去。

（十二）做练习7，写汉字。

### 附：录音文本与练习答案

（二）练习2

(1) 我家离市中心很远。

(2) 爸爸每天开车去市中心工作。

(3) 郊区没有污染。

(4) 郊区有绿色的树木。

(5) 春天常常刮风。

(6) 秋天不冷也不热。

答案：

(1) ✓　　(2) ✓　　(3) ×　　(4) ×　　(5) ✓　　(6) ✓

（三）练习5

(1) c　　(2) a　　(3) d　　(4) h　　(5) g　　(6) e　　(7) f　　(8) b

## 二、练习与课堂活动建议

（一）根据课文判断正误。

(1) 我家住在郊区，离市中心很近。( × )

(2) 我每天开车去学校上课。(　　)

(3) 爸爸每天开车去工作。(　　)

(4) 春天郊区很漂亮，有红花。(　　)

(5) 秋天常常下雨。(　　)

(6) 秋天郊区空气好极了。(　　)

(7) 我家离汽车站很远。(　　)

(8) 郊区很安全，我喜欢郊区。(　　)

（二）给下列词语注拼音并朗读。

(1) 郊区 _____ (2) 市中心 _____

(3) 坐公共汽车 _____ (4) 污染 _____

(5) 绿色的草 _____ (6) 常常下小雨 _____

(7) 不冷也不热 _____ (8) 漂亮的风景 _____

（三）看图片，找汉语。

(1) 　　(2) 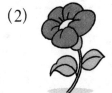　　(3)

(4) 　　(5) 　　(6)

kāi chē qù gōngzuò
A 开车去工作

chángcháng xià xiǎo yǔ
B 常常下小雨

hónghuā
C 红花

bù ānquán
D 不安全

zuò gōnggòng qìchē qù xuéxiào
E 坐公共汽车去学校

lǜsè de shùmù
F 绿色的树木

（四）用所给的词语造句。

| | |
|---|---|
| wǒ jiā　　shìzhōngxīn<br>我家……市中心 | Wǒ jiā lí shìzhōngxīn hěn yuǎn.<br>我家离市中心很远。 |
| wǒ jiā　　huǒchē zhàn<br>我家……火车站 | |
| wǒ jiā　　fēijīchǎng<br>我家……飞机场 | |
| wǒ jiā　　yùndòngchǎng<br>我家……运动场 | |

(2)

| Tiānānmén　　　　Gùgōng<br>天安门……故宫 | Tiānānmén　lí　Gùgōng　hěn　jìn.<br>天安门离故宫很近。 |
|---|---|
| Tiānānmén　Zhōngguó Lìshǐ Bówùguǎn<br>天安门……中国历史博物馆 | |
| Tiānānmén　Běijīng Huǒchēzhàn<br>天安门……北京火车站 | |
| Tiānānmén　qìchēzhàn<br>天安门……汽车站 | |

（五）用提示回答问题。

|wèn<br>问|dá<br>答|

Nǐ jiā zài nǎr?
(1) 你家在哪儿？　　　　　　　Wǒ jiā zài shìzhōngxīn pángbiān.
　　　　　　　　　　　　　　我家在市中心旁边。

Nǐ de xuéxiào zài nǎr?
(2) 你的学校在哪儿？　　　　　chéngshì běibian
　　　　　　　　　　　　　　……城市北边

Nǐ jiā de huāyuán zài nǎr?
(3) 你家的花园在哪儿？　　　　fángzi nánbian
　　　　　　　　　　　　　　……房子南边

Bàba de qìchē zài nǎr?
(4) 爸爸的汽车在哪儿？　　　　huāyuán pángbiān
　　　　　　　　　　　　　　……花园旁边

Nǐ de zúqiú zài nǎr?
(5) 你的足球在哪儿？　　　　　huāyuán li
　　　　　　　　　　　　　　……花园里

Nǐ de Hànyǔ shū zài nǎr?
(6) 你的汉语书在哪儿？　　　　shūjià shang
　　　　　　　　　　　　　　……书架上

（六）根据拼音写汉字。

(1) Wǒ　jiā　zài　jiāoqū,　hěn　ānquán.
　___　家　_____,　_____。

(2) Huāyuán li yǒu lǜsè de shùmù.
　_____绿_____。

（七）翻译句子。

(1) 去年我去了长城，长城在北京的北边，离市中心很远。

(2) 爸爸会开汽车，我不会，我每天坐公共汽车去学校。

(3) 花园里除了有红花，也有白色的花，绿色的草也很漂亮。

(4) 您是司机吧？我要去北京火车站，离天安门广场不远。

附：练习答案

（一）练习1

(1) ✕  (2) ✕  (3) ✓  (4) ✓  (5) ✓  (6) ✓  (7) ✕  (8) ✓

（二）练习6

(1) 我家在郊区，很安全。

(2) 花园里有绿色的树木。

\*　课堂活动建议

郊区的房子：让学生分成小组，在第四课课堂活动"自己的城市"的基础上，继续画出学生们自己想像中的在郊区的房子，让学生任意设想这座房子周围的环境，然后用汉语描述出来。

 三、语言点与背景知识提示

（一）在＋名词＋方位词（描述方位）

在汉语里，常常用"在＋名词＋方位词"描述人或事物所存在的方位，名词多为处所名词，如："教室、邮局、花园、车站、桌子、床、书架" 等，方位词可以是简单的："上、下、里"，也可以是复杂的："前边、后边、左边、右边、东边、西边、南边、北边、旁边、外边、对面"等，如：

足球在花园里。

书在桌子上。

老师在教室里。

我家在城市南边。

邮局在马路对面。

爸爸的汽车在房子外边。

请注意：

(1)用"你家在哪儿"提问时，可以是问对方家庭所在的国家或城市，也可以是问对方家庭在某地的居住方位，如：

① ——你家在哪儿？

——我家在北京。

② ——你家在哪儿？

——我家在郊区。

(2)"在"后面的宾语如果是表示地理范围的名词，如：中国、北京、香港等，一般后面不加方位词。

（二）香山红叶

香山位于北京市西北郊，距城二十公里，全园面积一百六十公顷，是北京著名的森林

31

公园。鬼见愁是香山的主峰，又叫乳峰石，海拔五百五十七米，因山势陡峭，攀登不易，故称鬼见愁。香山最著名是红叶，每逢秋天，山上的黄栌树叶红得象火焰一样。这些黄栌树是清代乾隆年间栽植的。每年十月中旬到十一月上旬是观赏红叶的最好季节，北京人有秋季登香山赏红叶的习惯。

## Red Leaves on The Fragrant Hills

The Fragrant Hills are located in the north-west outskirts of Beijing, 20 kilometres away from the city centre. A famous forest park in Beijing, the Fragrant Hills have an area of 160 hectares. Guijianchou, also called Rufengshi, is the highest peak of the Fragrant Hills at 557 metres above sea level. It is called Guijianchou because the peak is so precipitous that it is not easy to climb. Red leaves are the most famous feature of the Fragrant Hills. Each autumn, the leaves of the smoke trees turn as red as flames. The trees were planted during the reign of the Qing Emperor Qianlong. Each year from the middle of October to early November is the best season to view the red leaves of the Fragrant Hills. Beijingers have a habit of climbing the Fragrant Hills each autumn to enjoy the red leaves.

# 第六课  我是本地人

## 教学目标

交 际 话 题：城市特色。
语 言 点：警察局和邮局都不很远。
生 词：本地  厕所  地区  人行道  街道
　　　　警察局  失业  找  失物  铁路
　　　　土地  邮局  公路/马路  十字路口
汉 字：街 道 公 路 本 土

 **一、基本教学步骤及练习要点**

（一）导入：本课选取了在中国的城市中比较有特色的场所——火车站，试图在这个场景中集中一些可以概括一个城市特色的设施，如：警察局、邮局、公路、人行道等。请教师在导入时，注意引导学生谈论这方面的话题，如：你认为一个城市里面最重要的设施是什么？如果你是市长，你首先在这个城市里修建什么？建厕所吗？建警察局吗？建邮局吗？修公路吗？为什么？你的城市土地贵吗？商店多吗？失业的人多吗？安全不安全？干净不干净？

（二）读生词，教师可以让学生先看生词表，然后领读，注意纠正学生的发音。

（三）学习课文：教师可以让学生不看书，听教师朗读课文，让学生反复听，直到他们对课文所描述的场所有了基本的了解，然后根据课文的内容提问，使学生初步掌握课文的内容。本课的对话分为两个部分，第一个小对话是一个警察和一个寻找失物的人的对话，教师可以先朗读，让学生猜，这个对话发生在什么人之间；第二个对话是一个寻找厕所的人和一个路人的对话，教师读后，让学生说出，对话中的人要找什么地方，那个地方在哪里。

（四）做练习1，熟悉本课的重点词语。

（五）做练习2，本练习的六个问题都是与本课的课文有关的，要求学生在听录音的同时判断每幅图片的正误，目的在于让学生从听觉的角度进一步熟悉课文，提高听力理解能力。

（六）讲解本课句型：A和B＋都（不很）＋形容词

　　　　火车站和汽车站都很干净。

　　　　警察局和邮局都不很远。

（七）做练习3，本练习是一个替换练习，目的在于让学生掌握本课的主要句型。

（八）做练习4，这是一个翻译练习，请教师首先让学生朗读，然后再做翻译；完成翻译练习之后，还可以让学生做复述练习，在复述这些句子时，最好不要让学生看书。

（九）做练习5，这是一个填图说话的练习，左栏提供了十个图片，右栏的文字对这些图片进行了简要描述，学生的任务是根据右栏的描述，把左栏的图片安排到一个空白的广场里，然后用汉语把这个广场描述出来。

（十）做练习6，写汉字。


**附：录音文本与练习答案**

练习2

(1) 我是本地人。

(2) 公路上有很多汽车。

(3) 人行道上有很多人。

(4) 警察局和邮局都不很远。

(5) 这个地区商店不很多。

(6) 厕所在广告的右边。

答案：

(1) ×　　(2) ✓　　(3) ×　　(4) ✓　　(5) ×　　(6) ✓

 **二、练习与课堂活动建议**

\* 练习

（一）根据课文判断正误。

(1) 我家离火车站很近。（ ✓ ）

(2) 这个地区的公路上有很多汽车。（　　）

(3) 人行道上没有人。（　　）

(4) 火车站里不很干净。（　　）

(5) 警察局和邮局都很远。（　　）

(6) 这个地区商店很多。（　　）

(7) 这个地区有很多失业的人。（　　）

(8) 厕所在火车站里，最大的广告左边。（　　）


（二）给下列词语注拼音并朗读。

(1) 本地人 ＿＿＿＿＿＿　　(2) 每一个街道 ＿＿＿＿＿＿

(3) 铁路旁边 ＿＿＿＿＿＿　　(4) 这个地区 ＿＿＿＿＿＿

(5) 人行道 ＿＿＿＿＿＿　　(6) 警察局 ＿＿＿＿＿＿

(7) 邮局 ＿＿＿＿＿＿　　(8) 失业的人 ＿＿＿＿＿＿

（三）朗读下列词语，并找出相应的图片。

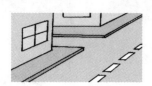

(1) jiēdào
　　街道

(2) tiělù　pángbiān
　　铁路旁边

(3) rénxíngdào
　　人行道

(4) huǒchēzhàn　li
　　火车站里

(5) zhǎo　shīwù
　　找失物

(6) zhǎo　cèsuǒ
　　找厕所

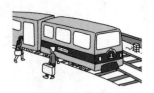

（四）看图做对话。

(1)

Qǐngwèn,　jǐngchájú
请问，警察局……？
zhǎo shīwù.
……找失物。

zài　biān
在……边
gēn　　　yìqǐ qù
……跟……一起去

(2)

Qǐngwèn　cèsuǒ
请问，厕所……？
Yuǎn ma?
远吗？

bù yuǎn
不远
wǎng　　zǒu
往……走

(3)

Qǐngwèn   Tiānānmén   hé   Gùgōng
请问，天安门和故宫……？
Yuǎn ma?
远吗？

wǎng        zǒu
往……走
hé        dōu bù hěn
……和……都不很……

（五）根据拼音写汉字。

(1) Jiēdào  pángbiān  yǒu  shāngdiàn,  gōnglù shang  yǒu  qìchē.

_____边_____商店，_____。

(2) Yóujú  lí  huǒchēzhàn  hěn  jìn.

____离_____站_____。

（六）翻译句子。

(1) 我家在公路旁边，离汽车站很近，公路上有很多汽车。

(2) 我喜欢学习地理，喜欢看地图，地图里有街道、铁路和公路。

(3) 体育馆和图书馆都不很远，星期六上午我去图书馆看书，下午去体育馆打网球。

(4) 这个城市虽然很小，可是街道和商店都很干净，花和树木都很漂亮。

（七）问答搭配。

| A | B |
|---|---|
| (1) 你是本地人吗？ | a 火车站里很安全。 |
| (2) 这个城市的土地贵吗？ | b 火车站和汽车汽车站都不很远。 |
| (3) 这个地区的公路多吗？ | c 这个城市的土地很贵。 |
| (4) 火车站里安全吗？ | d 这个城市有失业的人。 |
| (5) 厕所在哪儿？ | e 我是本地人。 |
| (6) 火车站和汽车站远吗？ | f 你可以去警察局找失物。 |
| (7) 这个城市有失业的人吗？ | g 厕所在邮局旁边。 |
| (8) 请问，我在哪儿找失物？ | h 这个地区的公路不多。 |

附: 练习答案

（一）练习1

(1) ✓　(2) ✓　(3) ×　(4) ×　(5) ×　(6) ✓　(7) ×　(8) ✓

（二）练习5

(1) 街道旁边有商店，公路上有汽车。

(2) 邮局离火车站很近。

（三）练习7

(1) e　　　(2) c　　　(3) h　　　(4) a　　　(5) g　　　(6) b　　　(7) d　　　(8) f

\*　课堂活动建议

自己做市长：在第四课的课堂活动里,学生们画了他们想像中的中国城市,本课继续使用这些图画。可以让学生们想像,如果他们自己是这个城市的市长,他们将如何设计和规划这个城市? 注意引导学生使用已经学过的生词,如: 运动场、图书馆、火车站、飞机场、汽车站、剧院、电影院、商店、街道、厕所、公园、广场等。

## 三、语言点与背景知识提示

（一）A 和 B ＋都（不很）＋形容词

我们在第二册第18课学过"都"的用法,如:

我们都喜欢中国音乐。

我们都去听中国音乐会。

每张 CD 都很好。

我们每天都有汉语课。

本课我们继续学习"A 和 B ＋都（不很）＋形容词"的用法,在这个结构中,"都"表示总括前面主语的每一项,它后面的形容词说明联合词组主语的性质或状态,在"都"和形容词中间,也可以加否定词"不"和其他程度副词,如:

客厅和卧室都很干净。

汉语和法语都很有意思。

火车站和汽车站都不远。

我的房间和哥哥的房间都不大。

茶和咖啡都不很热。

地理作业和历史作业都不很难。

（二）北京概况

北京是中华人民共和国的首都,是全国的政治中心、文化中心,同时也是有着三千多年建城史和八百多年建都史的世界著名的历史文化名城。

北京属温带半湿润季风型大陆性气候，春季干燥多风，夏季炎热多雨，秋季晴爽，是一年中最好的季节，冬季寒冷、少雪。平原地区平均气温为10℃～20℃，一月份最低，七月份最高；年平均降水量为三百毫米，夏季（六～八月）占75%。北京市常住人口有一千万人，流动人口三四百万，中国的五十六个民族都有成员在北京居住。

## A Survey of Beijing

Beijing is the capital of the People's Republic of China. It is the political and cultural centre of the whole country.With over 3000 years' history as a city and over 800 years' history as a capital, it is also a historically and culturally famous city of the world.

Beijing is in located in a temperate zone, with a half-moist monsoon continental climate. It is dry and windy in the spring, hot and rainy in the summer, clear and sunny in the autumn (the best season in Beijing), and cold and slightly snowy in the winter. The average temperature in the plain region is 10-20 degrees centigrade. The lowest temperatures are in January and the highest are in July. The average annual precipitation is 300 millimetres, with precipitation in the summer (June to August) accounting for 75% of the annual precipitation. Beijing has ten million permanent residents and a floating population of about three to four million. Members of all of China's 56 nationalities live in Beijing.

# 第二单元测验

1、听录音判断正误。

(1)　　　　　　　（　）　　　　(2)　　　　　　　（　）

(3)　　　　　　　（　）　　　　(4)　　　　　　　（　）

(5)　　　　　　　（　）　　　　(6)　　　　　　　（　）

(7)　　　　　　　（　）　　　　(8)　　　　　　　（　）

(9)　　　　　　　（　）

2、回答问题。

(1) 你出生在什么城市？你喜欢你出生的城市吗？

(2) 你的城市安全吗？干净吗？商店多吗？

(3) 你家在哪儿？你家离市中心远吗？你喜欢市中心吗？

(4) 你去博物馆吗？你喜欢博物馆的展览吗？

(5) 去哪儿找失物？你的城市警察局多吗？

3、朗读。

(1) Běijīng yǒu yí ge hěn dà de guǎngchǎng, zhè ge guǎngchǎng jiào Tiān'ānmén Guǎngchǎng.
北京有一个很大的广场，这个广场叫天安门广场。

(2) Zhōngguó Lìshǐ Bówùguǎn zài Tiān'ānmén Guǎngchǎng de dōngbian, Gùgōng zài Tiān'ānmén
中国历史博物馆在天安门广场的东边，故宫在天安门
Guǎngchǎng de běibian.
广场的北边。

(3) Wǒ jiā zài jiāoqū, lí shìzhōngxīn hěn yuǎn, wǒ měitiān zuò gōnggòng qìchē qù xuéxiào.
我家在郊区，离市中心很远，我每天坐公共汽车去学校。

(4) Shāngdiàn hé yóujú dōu bù hěn yuǎn, zhè shì shìzhōngxīn, yóujú hé shāngdiàn hěn duō.
商店和邮局都不很远，这是市中心，邮局和商店很多。

(5) Qǐngwèn, diànhuà zài nǎr? Wǒ yào gěi wǒ jiā dǎ diànhuà.
请问，电话在哪儿？我要给我家打电话。

4、写汉字。

(1) guǎngchǎng _____

(2) zhǎnlǎn _____

(3) fēngzhēng _____

(4) chéngshì _____

(5) bówùguǎn _____

5、翻译。

(1) 汉译英。

① 我不是本地人，我出生的城市没有这个城市这么大，也没有这么多人。

② 我们班有二十多个同学，秋天的时候，我们一起去天安门广场看风筝。

③ 我家在郊区，你去过郊区吧？郊区的风景真好！

④ 汉语考试和德语考试都不很难，我都考得很好。

⑤ 我有一个很好的朋友，他叫小海，他是中国人。

(2) 英译汉（选择英文句子的号码填进括号内）。

① There is a very large square in the city centre of Beijing.

② There is no pollution in the suburbs.

③ My home is quite far from the city centre.

④ The park is outside the city.

⑤ A city and B city are both not very large.

(　) Jiāoqū méi yǒu wūrǎn.

(　) Gōngyuán zài chéngshì wàibian.

(　) Běijīng shìzhōngxīn yǒu yí ge hěn dà de guǎngchǎng.

(　) Wǒ jiā lí shìzhōngxīn hěn yuǎn.

(　) A chéngshì hé B chéngshì dōu bù hěn dà.


**6、阅读理解。**

Wǒ shì Běijīngrén, Běijīng shì wǒ chūshēng de chéngshì. Wǒ jiā lí shìzhōngxīn hěn
我 是 北 京 人 ， 北 京 是 我 出 生 的 城 市 。 我 家 离 市 中 心 很

jìn. Wǒ jiā pángbiān yǒu hěn duō shāngdiàn, māma měitiān qù shāngdiàn mǎi dōngxi. Měi ge
近 。 我 家 旁 边 有 很 多 商 店 ， 妈 妈 每 天 去 商 店 买 东 西 。 每 个

xīngqīliù, wǒ dōu qù Tiān'ānmén Guǎngchǎng, Tiān'ānmén Guǎngchǎng hěn dà, yě hěn gānjìng.
星 期 六 ， 我 都 去 天 安 门 广 场 ， 天 安 门 广 场 很 大 ， 也 很 干 净 。

Tiān'ānmén zài guǎngchǎng běibian, Gùgōng hé Zhōngguó Lìshǐ Bówùguǎn dōu bù hěn yuǎn. Guǎngchǎng
天 安 门 在 广 场 北 边 ， 故 宫 和 中 国 历 史 博 物 馆 都 不 很 远 。 广 场

shang yǒu hěn duō rén, guǎngchǎng pángbiān de gōnglù shang yǒu hěn duō chē. Wǎnshang, guǎngchǎngshang yǒu
上 有 很 多 人 ， 广 场 旁 边 的 公 路 上 有 很 多 车 。 晚 上 ， 广 场 上 有

hěn duō dēng, wǒ xǐhuan zài guǎngchǎngshang kàn fēngjǐng, zhè shíhou de guǎngchǎng piàoliàng jí le.
很 多 灯 ， 我 喜 欢 在 广 场 上 看 风 景 ， 这 时 候 的 广 场 漂 亮 极 了 。

回答问题：

(1) 我家在哪儿？

(2) 我家离市中心远吗？

(3) 我家旁边有什么？

(4) 天安门在广场的什么地方？

(5) 故宫和中国历史博物馆远吗？

(6) 晚上广场上有很多什么？

(7) 我喜欢在广场做什么？

(8) 这时候的广场漂亮吗？

# 第二单元测验部分答案

**1、听录音判断正误。**

录音文本

(1) 我是本地人。

(2) 厕所在广告的右边。

(3) 警察局和邮局都不很远。

(4) 秋天常常下小雨。

(5) 爸爸坐公共汽车去工作。

(6) 这个地区常常刮风。

(7) 中国历史博物馆在天安门广场的东边。

(8) 故宫在天安门广场的北边。

(9) 广场上有很多风筝。

答案：

(1)×　(2)✓　(3)✓　(4)✓　(5)×　(6)✓　(7)✓　(8)✓　(9)✓

**2、回答问题。**

这是一个口试题，要求教师提问，学生根据学过的课文或生活中的实际情况回答。请教师根据考试时间长短对问题做适当取舍。

**4、写汉字。**

(1) 广场

(2) 展览

(3) 风筝

(4) 城市

(5) 博物馆

**5、翻译。**

(2) 英译汉

　②　　　④　　　①　　　③　　　⑤

**6、阅读理解。**

要求让学生先读短文，然后根据短文的内容回答问题。口头回答即可。

# 第七课  我的新家

## 教学目标

交 际 话 题：家居用品。

语 言 点：七点到饭厅去吃饭。

不买什么，我想去看看。

生 词：先生　父母　空调　烤炉

冰箱　吸尘器　洗衣机　浴室

衣柜　地毯　到　超级市场

汉 字：先　父　母　洗　空　到

 **一、基本教学步骤及练习要点**

（一）复习学过的关于房间、房间位置的词语和表达方式，可以参考第二册第4、5、6课。引入有关居室的新生词，借助课本主情景图学习生词。

（二）学习课文，讲解课文和主要句型，并通过朗读使学生熟悉本课词语、句型和内容。

（三）做练习1，把词组与相应的图画搭配在一起，加强对词语的认读理解。

（四）做练习2，听后选择，训练对词语的听力理解。

（五）做练习3，用所给的词语替换对话中的相应部分，完成对话，目的是熟悉本课的句型：

（1）到＋名词＋来／去

（2）到＋名词＋来／去＋动词

（3）不＋动词＋什么

（六）做练习4，翻译，主要集中在本课话题内容，进一步掌握本课词语和句型。

（七）做练习5，朗读问题并选择适当答案，可以两人一组进行。

（八）做练习6，用所给的词语和句型描述图画，综合复习本课内容。可以先每人说一句，然后逐渐增加到两句、三句、四句或更多。

（九）发音练习。唐代李绅的《悯农》。

（十）根据学生水平，可选做教师用书中的练习。其中练习1根据课文内容判断正误；练习2帮助学生进一步熟悉词语的发音；练习3训练认读短句并理解；练习4理解句子意思并找出正确应答；练习5根据各人情况回答问题，复习主要句型，练习表达能力；练习6写汉字；练习7翻译，逐句翻译并可组成一段话，可以让学生根据各人情况模仿表达。

附：录音文本

（一）练习2

(1) 这个房间里有空调，夏天很舒服。

(2) 爸爸给我买了新烤炉和新冰箱。

(3) 这是王先生，他是我父母的好朋友。

(4) 洗衣机在浴室里，浴室里没有地毯。

(5) 哥哥的衣柜比我的衣柜大一点儿。

(6) 广场在左边，超级市场在马路对面。

（二）练习5

(1) —e

(2) —a

(3) —b

(4) —d

(5) —c

 ## 二、练习与课堂活动建议

\* 练习

（一）根据课文判断正误。

(1) 王先生的家在上海。（　　）

(2) 王先生是张明父母的朋友。（　　）

(3) 王先生家有烤炉，也有冰箱，还有洗衣机。（　　）

(4) 张明的房间很舒服，也很漂亮。（　　）

(5) 这是王先生的新家。（　　）

(6) 张明很喜欢他的房间。（　　）

(7) 现在七点了。（　　）

(8) 张明想去超级市场买东西。（　　）

（二）把汉字和拼音连在一起。

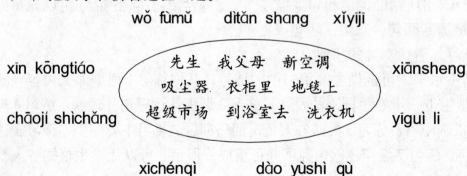

wǒ fùmǔ　　dìtǎn shang　　xǐyījī

xīn kōngtiáo

先生　我父母　新空调

吸尘器　衣柜里　地毯上

超级市场　到浴室去　洗衣机

xiānsheng

chāojí shìchǎng

yīguì li

xīchénqì　　　dào yùshì qù

44

（三）朗读句子并在相应的配图旁写出人物的名字。

(1) 丽丽的衣柜里有很多衣服。

(2) 明明的衣柜在空调下边。

(3) 妈妈的吸尘器在地毯上。

(4) 王先生的厨房里有冰箱和烤炉。

(5) Tom 家离超级市场不远。

(6) Mike 在超级市场买东西。

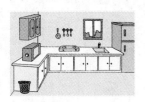

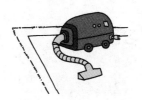

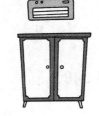

（四）搭配选择组成对话。

(1) 欢迎你到我家来。      a 他从哪儿来？

(2) 我饿了，我想吃一点儿什么。      b 谢谢。

(3) 我想到图书馆去看书。      c 我有面包，你要吗？

(4) 他是我父母的朋友。      d 夏天热吗？

(5) 我的房间没有空调。      e 我跟你一起去。

（五）回答问题。

(1) 你家大吗？有几个房间？家里有什么？

(2) 你的房间里有什么？你的房间舒服吗？

(3) 你常常到哪儿去买东西？

(4) 你现在口渴吗？你想喝什么？

(5) 你现在饿吗？你想吃什么？

（六）看拼音写汉字。

(1) Wáng xiānsheng shì wǒ fùmǔ de péngyou, tā yào dào Yīngguó lái.

    王＿＿＿＿＿＿＿＿＿＿＿＿＿＿＿＿＿＿＿，＿＿＿＿＿＿＿＿＿＿＿＿＿。

(2) Wǒ gēn tā yìqǐ qù mǎi xǐyījī hé kōngtiáo.

    ＿＿＿＿＿＿＿＿＿＿＿＿＿＿＿＿＿＿＿＿调。

（七）翻译。

（1）我跟我父母一起在郊区，我家的房子不很大，可是很舒服。

（2）我家有客厅、厨房、两个卧室、两个浴室，客厅和卧室里有地毯，烤炉和冰箱在厨房里。

（3）我家旁边有一个超级市场，还有一个图书馆，我们常常到超级市场去买东西，到图书馆去看书。

（4）我很喜欢我的家，我的朋友常常来我家，也欢迎你到我家来。

附：练习答案

（一）练习1

（1）×　　（2）✓　　（3）✓　　（4）✓　　（5）×　　（6）✓　　（7）×　　（8）×

（二）练习4

（1）b　　（2）c　　（3）e　　（4）a　　（5）d

（三）练习5

（1）王先生是我父母的朋友，他要到英国来。

（2）我跟他一起去买洗衣机和空调。

＊　**课堂活动建议**

我们的家：准备一块黑板或一张比较大的图画纸，可以是空白的，也可以画出房子大概的轮廓，让学生轮流在上面画出房间、家具、周围建筑或他们认为需要的用品，一边画一边说，最后组成一张家的构图，大家一起描述。

 **三、语言点与背景知识提示**

（一）到＋名词／处所词＋来／去（＋动词）

我们在第一册第23课和第二册第12课分别学习了两种连动句。一种为前一动词（或动词词组）表示动作方式，如：

　　我坐飞机去上海。

　　他去图书馆看书。

另一种为"主语＋来／去＋动词＋宾语"，这种连动句后一个动词（或动词词组）表示前一个动词的目的，如：

　　我们来上课。

　　他们去打羽毛球。

本课学习"到＋名词／处所词＋来／去"，这也是一种连动句，表示从一个地方移动到另一个地方。"到"后边的名词或处所词是移动到达的目的地，"来、去"表示出对于说话人来讲的移动方向，"来、去"后也可以加动词或动宾词组表示目的。如：

　　a，他到我的新家来。

　　我到中国去。

以上句子里"来、去"表示主语移动的方向。

b, 他到英国来学习。

　我们到饭厅去吃饭。

以上句子里"来、去"后有动词，表示目的。

## (二)"什么"的虚指用法

疑问代词"什么"指代事物，也可以表示虚指，即无所指或指不出来。如：

　我不买什么，我看看。

　他口渴了，想喝点儿什么。

## (三) 北京的老字号

所谓"老字号"是指开设年代久的商店。北京的老字号历史悠久，有详细记载的大约160多家，主要集中在商业、手工业、饮食业、民间艺术等领域。如全聚德的烤鸭、同仁堂的中草药、稻香村的糕点、盛锡福的帽子、瑞蚨祥的绸缎等等。这些老字号享有盛誉，驰名中外，其商品也常常是人们的首选，更是中外游客所喜爱的纪念品。

## Old Shops in Beijing

So-called "old shops" are shops that have been open for a long time. Old shops in Beijing have a long history, with detailed records of over 160 shops, primarily concentrated in the realms of commerce, handicrafts, food service, folk arts, etc. For example, Quanjude's roast duck, Tongrentang's Chinese herbal medicine, Daoxiangcun's pastries, Shengxifu's hats, Ruifuxiang's silks and satins, and so on. These old shops have great reputations and are renowned at home and abroad. Their goods are often the public's first choice, and are also well liked as souvenirs by Chinese and foreign tourists.

47

# 第八课　我想送她一个礼物

## 教学目标

交 际 话 题：送礼物。

语　言　点：我不怎么清楚。

　　　　　　这个比那个更好。

　　　　　　她问我送什么好。

生　　　词：太太　孙女　礼物　问　清楚

　　　　　　百货公司　购物　照相机

　　　　　　日本　更　条　裙子　可爱

汉　　　字：送　礼　物　清　楚　更

## 一、基本教学步骤及练习要点

（一）问学生的生日是什么时候，他们生日的时候有什么礼物，父母生日或朋友生日时他们送不送礼物，送什么礼物，从哪儿买礼物，除了生日还在什么时候送礼物等等。引入课文送礼物的话题，学习生词。

（二）学习课文，讲解课文和主要句型，并通过朗读使学生熟悉本课词语、句型和内容。

（三）做练习1，把汉语和英语搭配在一起，加强对词语的认读理解。

（四）做练习2，听后选择，训练对词语的听力理解。

（五）做练习3，用所给的词语替换对话中或句子中的相应部分，目的是熟悉本课的句型：

（1）A问B＋问题

（2）不＋怎么＋形容词

（3）A比B＋更＋形容词

（六）做练习4，翻译，进一步掌握本课词语和句型。

（七）做练习5，朗读并找出正确的搭配，可以两人一组进行。

（八）做练习6，用所给的词语按图片讲故事，综合复习本课内容。可以用讲述的方法，也可以两人一组用对话形式。

（九）根据学生水平，可选做教师用书中的练习。其中练习1根据课文内容判断正误，加强对课文的理解；练习2帮助学生进一步熟悉词语的发音；练习3汉英连线训练认读短句并理解；练习4造句，进一步熟悉主要句型；练习5根据各人情况回答问题，复习主要句型，练习表达能力；练习6写汉字；练习7翻译，逐句翻译并可组成一段话，可以让学生根据各人情况模仿表达。

附：录音文本和答案

（一）练习1

(1) c    (2) h    (3) g    (4) d    (5) a    (6) b    (7) e    (8) f

（二）练习2

(1) 他家的电视是日本的。

(2) 生日的时候，爸爸送了我一个礼物。

(3) 市中心有一个百货公司。

(4) 我们常常到购物中心去买东西。

(5) 这个照相机不怎么贵。

(6) 王先生想送孙女一个礼物。

（三）练习5

(1) d    (2) a    (3) f    (4) e    (5) b    (6) c

## 二、练习与课堂活动建议

\* 练习

（一）根据课文判断正误。

(1) 明天是马太太的生日。（    ）

(2) Mary 想送她一个礼物。（    ）

(3) 马太太跟孙女一起去了百货公司。（    ）

(4) 马太太跟 Mary 一起去了购物中心。（    ）

(5) Mary 买了一个照相机。（    ）

(6) 德国的照相机很有名。（    ）

(7) 那个照相机没有这个好。（    ）

(8) 马太太送了 Mary 一条白裙子。（    ）

（二）把汉字和拼音连在一起。

(1) 马太太的孙女          a. kě'ài de xiǎo māo

(2) 最大的购物中心        b. bù zěnme qīngchu

(3) 可爱的小猫            c. zuì dà de gòuwù zhōngxīn

(4) 日本的照相机          d. báisè de qúnzi

(5) 白色的裙子            e. Mǎ tàitai de sūnnǚ

(6) 问售货员              f. qù bǎihuò gōngsī

(7) 不怎么清楚            g. wèn shòuhuòyuán

(8) 去百货公司            h. Rìběn de zhàoxiàngjī

（三）汉英连线。

(1) 我常常去百货公　　　　　a. Is this the biggest shopping centre?
　　司买东西，你呢？

(2) 这是最大的　　　　　　　b. Whose little dog is the loveliest?
　　购物中心吗？

(3) 这个不怎么好，　　　　　c. Is your camera a German one?
　　那个日本的好吗？

(4) 马太太的孙女　　　　　　d. I often go to the department store to shop,
　　什么时候毕业？　　　　　　　what about you?

(5) 你的照相机是　　　　　　e. When will Mrs.Ma's granddaughter graduate?
　　德国的吗？

(6) 谁的小狗最可爱？　　　　f. This one is not so good , is that Japanese one ok?

（四）用所给的词语造句。

| 词语 | 例句 |
| --- | --- |
| 不怎么、难 | 今天的考试不怎么难。 |
| 不怎么、舒服 |  |
| 不怎么、容易 |  |
| 不怎么、有意思 |  |
| 词语 | 例句 |
| 更、大 | 他的房间比我的更大。 |
| 更、干净 |  |
| 更、整齐 |  |
| 更、可爱 |  |
| 词语 | 例句 |
| 问、什么 | 他问我喜欢什么。 |
| 问、哪儿 |  |
| 问、什么时候 |  |
| 问、谁 |  |

（五）回答问题。

(1) 你的生日是几月几号？生日的时候有礼物吗？
Nǐ de shēngri shì jǐ yuè jǐ hào? Shēngri de shihou yǒu lǐwù ma?

(2) 你父母的生日是什么时候？你送父母什么生日礼物？
Nǐ fùmǔ de shēngri shì shénme shihou? Nǐ sòng fùmǔ shénme shēngri lǐwù?

(3) 你常常送礼物吗？送什么礼物？常常送谁礼物？
Nǐ chángcháng sòng lǐwù ma? Sòng shénme lǐwù? Chángcháng sòng shéi lǐwù?

Nǐ xǐhuan qù nǎr mǎi lǐwù?
(4) 你喜欢去哪儿买礼物？

Zài nǐ de chéngshì lǐ, zài nǎ ge dìfang mǎi dōngxi zuì hǎo?
(5) 在你的城市里，在哪个地方买东西最好？

（六）看拼音写汉字。

(1) Jīntiān shì tā de shēngrì, wǒ xiǎng sòng tā yí ge shēngrì lǐwù.

_____，_____。

(2) Tā qùguo Rìběn ma? Wǒ bù zěnme qīngchu.

_____？_____。

（七）翻译。

(1) 明天是妈妈的生日，我和姐姐想送她一个礼物。我问姐姐送什么最好，她也不怎么清楚。

(2) 我跟姐姐一起去了百货公司，因为这个百货公司比那个购物中心更好，有很多可爱的东西。

(3) 妈妈很喜欢中国音乐，所以我们给她买了一个中国唱片，好听极了。

(4) 姐姐买了一个照相机，因为她要去中国。我买了一条裙子，跟广告里的一样。

## 附： 录音文本和答案

（一）练习1

(1)×　　(2)×　　(3)×　　(4)✓　　(5)×　　(6)✓　　(7)✓　　(8)✓

（二）练习2

(1) e　　(2) c　　(3) a　　(4) h　　(5) d　　(6) g　　(7) b　　(8) f

（三）练习3

(1) d　　(2) a　　(3) f　　(4) e　　(5) c　　(6) b

（四）练习6

(1) 今天是他的生日，我想送他一个生日礼物。

(2) 他去过日本吗？ 我不怎么清楚。

## ＊ 课堂活动建议

送礼物：假设班里有同学或老师过生日，大家根据他们的爱好决定要送的礼物，把决定过程表演出来。选定2-3个学生或老师为寿星，把全班分为3-4组，每一组要决定出这几个寿星的礼物，最后由寿星判定哪一组送的礼物是他们最喜欢的。

**三、语言点与背景知识提示**

（一）不＋怎么＋形容词

"怎么"在这个格式里，不表示疑问，而是用于虚指，表示程度，并且只用于否定形式，表示程度不高、不够。如：

　　　我不怎么清楚。

　　　那个房间不怎么大。

　　　她说得不怎么流利。

（二）A 比 B 更＋形容词

我们在第二册第 2、9、23 课中学过用"比"的比较句，分别为：

（1）A 比 B＋形容词

　　　他比我高。

　　　这个房间比那个房间小。

（2）A 比 B＋形容词＋一点儿

　　　这件衣服比那件贵一点儿。

　　　我的汉语比他的汉语好一点儿。

（3）A 比 B＋形容词＋得多

　　　广州比北京热得多。

　　　他比我大得多。

本课学习"A 比 B 更＋形容词"的比较句。程度副词"更"用在形容词前，表示 A 超过 B，多数含有 B 已经有一定程度的意思。如：

　　　这个比那个更好。　　　　（那个已经很好了。）

　　　这件衣服比那件更贵。　　（那件已经很贵了。）

　　　白色的比红色的更漂亮。（红色的也漂亮。）

注意：在这个格式里，句中不能再有"很、非常"等其他表示程度的副词和补语。

（三）A 问 B＋问题

汉语里，A 向 B 问一个问题，问题的内容可以直接加在后边，语序不用改变。问题可以是动词词组，也可以是一个主谓小句。如：

　　　妈妈问我喜欢哪一个。

　　　老师问学生谁会说汉语。

　　　我问他音乐会什么时候开始。

（四）文房四宝

文房四宝是中国传统书画主要工具材料的统称，一般指笔、墨、纸、砚。广义包括笔筒、笔洗、镇纸等辅助性器具。笔、墨、纸、砚分别以湖笔、徽墨、宣纸、端砚最为有名，至今仍享有盛名。文房四宝不仅有实用价值，也是融汇绘画、书法、雕刻、装饰等各种艺术为一体的艺术品。

湖笔即浙江湖州之毛笔，徽墨是指安徽徽州之墨，宣纸产于安徽宣州府（今安徽泾县），端砚产于广东端州（今广东肇庆）。

## The Four Treasures of the Study

The four treasures of the study is a umbrella heading for major tools and materials of Chinese traditional painting and calligraphy. In general, this phrase refers to a brush, ink, paper and an inkstone. In a broader sense, it also includes a brush pot, an inkbrush washer, a paperweight and other auxiliary implements. The Hu brush, Hui ink, Xuan paper and the Duan inkstone are the most famous brush, ink, paper, and inkstone, respectively. Even today they still have great reputations. The four treasures of the study do not just have a practical value--they are also works of art in their own right that combine painting, calligraphy, carving, decoration and other art forms into one body.

The Hu brush is the brush of Huzhou, Zhejiang; Hui ink is ink of Huizhou, Anhui; Xuan paper is made in Xuanzhou (today's Jing County), Anhui; the Duan inkstone is made in Duanzhou (today's Zhaoqing), Guangdong.

# 第九课 他买到了纪念品

## 教学目标

交 际 话 题：纪念品。

语 言 点：他请我跟他一起去买。

他买到了喜欢的画。

他没买到照相机。

在商场买不到。

在书店买得到。

生 词：纪念品 请 商场 画 国画 书店
妻子 孙子 到 丈夫 一直 走

汉 字：纪 念 品 商 直 走

 一、基本教学步骤及练习要点

（一）问学生喜欢旅游吗，都去过什么地方，在这些地方买了什么，是否收集各地的纪念品，在哪儿买纪念品最好等等，也可以展示一些各地的纪念品，引入本课内容，学习生词。

（二）学习课文，讲解课文和主要句型，并通过朗读使学生熟悉本课词语、句型和内容。可以展示几张国画，增强感官认识。

（三）做练习1，把汉语和英语搭配在一起，加强对词语的认读理解。

（四）做练习2，听后把词语和人物连在一起，训练对词语的听力理解。

（五）做练习3，用所给的词语替换句子中的相应部分，目的是熟悉本课的句型：

（1）买到了／没买到

（2）买得到／买不到

（3）A 请 B＋动词或动词词组

（4）一直走，离……不远

（六）做练习4，翻译，进一步掌握本课词语和句型。

（七）做练习5，针对话题小组讨论，可以轮流回答同一个问题，也可以轮流做介绍。

（八）根据学生水平，可选做教师用书中的练习。其中练习1根据课文内容判断正误；练习2帮助学生进一步认读汉字、熟悉词语的发音；练习3通过配图训练认读短句并理解；练习4替换练习并回答，练习使用课文中的句型；练习5造句，复习主要句型，练习表达能力；练习6朗读并找出正确的搭配，熟悉如何应答，可以两人一组进行；练习7写汉字；练习8翻译，逐句翻译并可组成一段话，可以让学生根据各人情况模仿表达。

(一) 练习1

(1) e　　(2) c　　(3) g　　(4) b　　(5) h　　(6) a　　(7) d　　(8) f

(二) 练习2

(1) 明明很喜欢国画。

(2) 王先生的妻子没买到照相机。

(3) 王先生想买纪念品。

(4) 小海，一直走，商场在前边。

(5) 王先生的孙子买到了唱片。

(6) 马太太请我去吃饭。

 ## 二、练习与课堂活动建议

\* 练习

(一) 根据课文判断正误。

(1) 我父母快要回英国了。(　　)

(2) 王先生请我跟他一起去商场。(　　)

(3) 王先生买到了国画。(　　)

(4) 王先生在商场买到了中文书。(　　)

(5) 王先生给妻子和孙子买了中文书。(　　)

(6) 马太太给丈夫买中文书。(　　)

(7) 在这个书店买不到中文书。(　　)

(8) 书店离商场很远。(　　)

(二) 把拼音和相应的汉字连在一起。

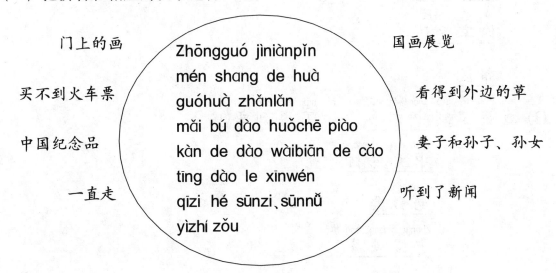

门上的画　　　　　　　　　　　　　　　　　国画展览

　　　　　　　Zhōngguó jìniànpǐn

　　　　　　　mén shang de huà

买不到火车票　　guóhuà zhǎnlǎn　　　　　看得到外边的草

　　　　　　　mǎi bú dào huǒchē piào

　　　　　　　kàn de dào wàibiān de cǎo

中国纪念品　　　tīng dào le xīnwén　　　　妻子和孙子、孙女

　　　　　　　qīzi hé sūnzi、sūnnǚ

　　　　　　　yìzhí zǒu

一直走　　　　　　　　　　　　　　　　　听到了新闻

（三）把相应的中文和配图连在一起。

Mǎ xiānsheng hé tā de qīzi
(1) 马先生和他的妻子

mǎi dào le yīnyuèhuì de piào
(2) 买到了音乐会的票

méi mǎi dào diànyǐng piào
(3) 没买到电影票

qǐng nǐmen bā diǎn lái
(4) 请你们八点来

yìzhí zǒu bú tài yuǎn
(5) 一直走，不太远

kàn de dào Chángchéng
(6) 看得到长城

（四）替换并回答问题。

Nǐ qùguo Sūgélán ma? Nǐ mǎile shénme jìniànpǐn?
(1) 你去过苏格兰吗？你买了什么纪念品？

Fǎguó
法国

Déguó
德国

Xiānggǎng
香港

Zài Lúndūn de shāngchǎng li mǎi de dào Zhōngguó dōngxi ma?
(2) 在伦敦的商场里买得到中国东西吗？

nǐmen chéngshì
你们城市

nǐ jiā pángbiān
你家旁边

jiāoqū
郊区

Wǒ mǎi bú dào Zhōngwén shū, nǐ mǎi de dào ma?
(3) 我买不到中文书，你买得到吗？

zhōngwén diànnǎo
中文电脑

diànyǐng piào
电影票

Zhōngguó fēngzheng
中国风筝

56

（五）用所给的词组造句。

| 词语 | 例句 |
|---|---|
| 买到了 | 我买到了今天的电影票。 |
| （1）买到了 | |
| （2）看到了 | |
| （3）没买到 | |
| （4）没听到 | |
| （5）买得到 | |
| （6）看得到 | |
| （7）买不到 | |
| （8）看不到 | |

（六）朗读并搭配。

(1) 我看到了成龙。　　　　　　　a 你去购物中心试试。

(2) 一直走，在前边。　　　　　　b 你坐飞机去吧。

(3) 我想去上海，可是买
　　不到火车票。　　　　　　　c 是那个有名的演员吗？

(4) 马先生的妻子明天来北京。　　d 你什么时候走？

(5) 我在商场没买到纪念品。　　　e 离这个地方远吗？

(6) 我买到了火车票。　　　　　　f 我们请她到我家来吃饭。

（七）看拼音写汉字。

(1) Wǒ mǎi dào le jìniànpǐn, shì yǒumíng de guóhuà.

　　_____，_____。

(2) Shāngchǎng bú tài yuǎn, yìzhí zǒu, zài qiánbian.

　　_____，_____，_____。

（八）翻译。

(1) 今年冬天我去了中国。中国的风景很漂亮，人也很好。我去了很多地方，还买了很多纪念品。

(2) 在中国，我有一个新朋友，他请我去他家，还请我看京剧，有意思极了。我很喜欢他。

(3) 他的妻子是老师，儿子在百货公司工作，孙子是小学生，他们都会说英语。

(4) 他送了我很多礼物，除了国画，还有风筝。现在我常常给他们打电话，我想请他们来英国。

附：练习答案

（一）练习1

(1) ×　(2) ✓　(3) ✓　(4) ×　(5) ✓　(6) ✓　(7) ×　(8) ×

（二）练习6

(1) c　　　(2) e　　　(3) b　　　(4) f　　　(5) a　　　(6) d

（三）练习7

(1) 我买到了纪念品，是有名的国画。

(2) 商场不太远，一直走，在前边。


\* **课堂活动建议**

纪念品展示会：让学生把自己得意的纪念品带到学校，办一个小小的展览。每个学生要向大家介绍纪念品的来历，如：纪念品的名称、在什么地方买的、有什么特殊的含义、有什么特别的经历等等。

 **三、语言点与背景知识提示**

（一）动词＋到＋了（＋宾语）

"到"直接在动词后边，充当结果补语，表示动作的完成和实现，肯定式后边常常有"了"。如果有宾语，加在"了"后。否定式为"没＋动词＋到(＋宾语)"如：

买到了。　　　　　没买到。

看到了。　　　　　没看到。

听到了。　　　　　没听到。

我买到了纪念品。　我没买到纪念品。

我看到了他。　　　我没看到他。


（二）动词＋得到／不到

前边讲了"到"直接在动词后边，可以作结果补语。如果在动词和结果补语"到"之间加"得"，成为"动词＋得＋到"，就变为可能补语，表示可以、能够。如：

在书店买得到中文书，也买得到英文书。

在北京看得到英国电影。

否定式为"动词＋不到"。如：

想看这个电影的人很多，我们买不到票。

他离我们太远了，我听不到他说话。

疑问有两种形式：

(1) 动词 ＋ 得到＋（宾语）＋吗？

(2) 动词 ＋得到＋ 动词＋不到（＋宾语）？

如：

在电视里看得到这个比赛吗？

现在买得到买不到他的唱片？

（三）A 请 B+ 动词（或动词词组）

在这个句型里，A 是"请"的主语，B 是"请"的宾语，同时 B 又是后边动词的主语。这样的格式称为兼语式。B 后的动词（或动词词组）为"请"的结果或目的。如：

我请他们来。

他请我跟他一起去买。

我请马老师来我家听中文歌。

这类兼语式中的第一个动词除"请"以外，常用的动词还有"让、叫、使、派、要求、请求"等，均含有使令意义。如：

他让你给他打电话。

王先生叫我到饭厅吃饭。

老师要求学生每天说汉语。

（四）中国画

中国画简称"国画"，是中国各民族人民共同创造的传统绘画。中国画是用毛笔、墨、中国画颜料在宣纸、丝帛等材料上画的画。按题材可分为人物画、山水画、花鸟画，其中山水画最为发达。

中国画的艺术特点是多方面的，其中有一点就是讲究诗文、书法、印章和绘画的结合。所以我们常常可以看到一幅画上有画题、画家姓名、作画时间，有时还有一首诗或一段文章，另外画家还要在画上盖一个或几个印章。

除此之外，中国画还要进行装裱，可以说这是中国画的最后一道工序。

## Traditional Chinese Painting

Traditional Chinese painting, called "National painting" for short, is the traditional painting created together by China's different nationalities. Traditional Chinese painting is painted on Xuan paper (high-quality paper from Xuancheng, Anhui), silk, and other materials using brush, ink, and traditional Chinese painting pigments. According to the subject matter, the paintings can be divided into portrait painting, landscape painting, and flower-and-bird painting, with landscape painting being the most developed.

The special characteristics of traditional Chinese painting are many-faceted. One aspect is the striving for the unity of poetry, calligraphy, seal and painting. So we often see that on painting there is a title, the name of the painter, the time of painting, and sometimes a poem or a short essay. The painter also stamps one or more seals on the painting.

In addition, a traditional Chinese painting must also be mounted. Mounting can be said to be the final step of traditional Chinese painting.

# 第三单元测验

## 1、听后选择。

yǒu shénme
有什么？

| | | | | | | | |
|---|---|---|---|---|---|---|---|
| kètīng<br>客厅 | | | | | | | |
| yùshì<br>浴室 | | | | | | | |
| chúfáng<br>厨房 | | | | | | | |

## 2、听录音判断正误。

(1) 在书店买得到国画。（　　）

(2) 我没买到日本照相机。（　　）

(3) 孙子没有孙女可爱。（　　）

(4) 我想吃东西。（　　）

## 3、回答问题。

(1) 你家的房子里有什么？你的房间里有什么？

(2) 你们的城市有很多商店吗？离你家远吗？怎么去？

(3) 你常常到哪儿去购物？因为什么？

(4) 你常常送朋友什么礼物？

(5) 美国人喜欢什么礼物？美国最有名的纪念品是什么？

## 4、汉英连线。

(1) 厨房里的冰箱　　　　　give granddaughter a gift

(2) 一直走，去浴室　　　　ask him to go to buy it in the shopping centre

(3) 送孙女一个礼物　　　　refrigerator in the kitchen

(4) 请他到购物中心去买　　have bought a Chinese souvenir

(5) 看不到书店里的画　　　cannot see the picture in the book store

(6) 买到了中国纪念品　　　go straight ahead to the bathroom

**5、阅读后选择正确答案填空。**

(1) 购物中心离我家很远，马先生的孙子问我怎么去，我请他坐地铁去，坐地铁比坐公共汽车更好，因为汽车站太远了。

马先生的孙子想去 _____。

A 我家　　B 汽车站　　C 购物中心

怎么去好？

A 地铁　　B 公共汽车

(2) 暑假我去了日本和中国。 在日本我没买什么，在中国买了很多纪念品。我买到了妻子喜欢的国画，我要送她这个礼物。

我在 _____ 买了纪念品。

A 日本　　B 中国

我妻子喜欢 _____。

A 纪念品　　B 国画　　　C 礼物

(3) 马太太说，我们城市有一个新的百货公司，离我们的家不怎么远，有很多新东西，所以我跟她一起去了百货公司。她买了画、裙子、地毯，我没买什么。

新的百货公司离我家 _____。

A 很远　　　B 不太远　　　C 很近

_____ 没买东西。

A 我　　　B 马太太

**6、写汉字。**

(1) Lǐ xiānsheng dào shāngchǎng mǎile hěn duō jìniànpǐn hé lǐwù.

李_____。

(2) Tā xiǎng sòng fùmǔ yí ge kōngtiáo hé yí ge xǐyījī.

_____调_____。

(3) Wǒ bù qīngchu zěnme qù shūdiàn, shì yìzhí zǒu ma?

_____，_____吗？

**7、翻译。**

(1) 明天是我妻子的生日，我想送她一条日本的裙子，在哪儿买得到？

(2) 马太太请我跟她一起到购物中心去，她给孙女买到了一个可爱的礼物，可是没买到她喜欢的照相机。

(3) 他问在这个商场买得到什么纪念品，我也不怎么清楚，我请他去问问那个先生。

(4) 超级市场离我家不远，一直走，我常常去。超级市场的东西比百货公司的东西更便宜。

**8、用所给的句型模仿例句造句，并选择3-4个句型说一段话。**

(1) A 请 B……：他请我去学校。

(2) 不怎么……：商场离我家不怎么远。

(3) A 比 B 更……：那张国画比这张更好。

(4) A 问 B……：他问我怎么去商场。

(5) ……得到／不到：在这个小书店买得到／买不到中文书。

(6) ……到了……／没……到：我买到了／没买到纪念品。

例：昨天，朋友请我跟他一起到百货公司去。他不想买什么，想去看看。这个百货公司很大，东西很多，买得到烤炉、冰箱，也买得到衣服、裙子，还买得到纪念品和国画。朋友说，这个百货公司比那个购物中心更好，因为东西不怎么贵。

# 第三单元测验部分答案

**1、听后选择。**

这是我的家，客厅很大，有地毯和沙发，还有空调，很舒服。左边是浴室，里边有一个小衣柜，衣柜旁边是洗衣机。吸尘器在父母的房间里。厨房在右边，有一个烤炉和一个冰箱，我们每天在厨房吃饭。我的房间也有空调，空调旁边是一张有名的国画。

答案：

| | | | | | | | |
|---|---|---|---|---|---|---|---|
| kètīng<br>客厅 | | | | ✓ | ✓ | | |
| yùshì<br>浴室 | ✓ | ✓ | | | | | |
| chúfáng<br>厨房 | | | | | | ✓ | |

**2、听录音判断正误。**

(1) 在商场买不到国画，可是在书店买得到，你到书店去看看吧。

(2) 我昨天在购物中心买到了一个日本照相机，没买到日本地图。

(3) 李先生和李太太的孙子很可爱，他们的孙女比孙子更可爱。

(4) 我不饿，不想吃什么。你们吃吧。

答案：

(1) ✓　　　(2) ×　　　(3) ✓　　　(4) ×

**5、阅读后选择正确答案填空。**

(1) C
　　　A
(2) B
　　　B
(3) B
　　　A

6、写汉字。

(1) 李先生到商场买了很多纪念品和礼物。

(2) 他想送父母一个空调和一个洗衣机。

(3) 我不清楚怎么去书店，是一直走吗？

第 四 单 元
学 校 生 活

# 第十课　你说汉语说得真好

## 教学目标

**交 际 话 题**：谈汉语学习。

**语 言 点**：你说汉语说得真好！
　　　　　　汉语不难学。

**生 词**：毕业　老师　同学　回答　问题
　　　　　写　汉字　练习　对　课本

**汉 字**：汉　写　问　答　题　对

### 一、基本教学步骤及练习要点

（一）导入：问班上同学中谁说汉语说得好，谁打篮球打得好，谁写汉字写得好。最后用汉语句型表达出来，如：

　　　　John 写汉字写得很好。

　　　　Mary 打网球打得很好……

（二）领读生词，重点掌握与学校学习相关的词语。

（三）朗读课文，通过朗读让学生熟悉本课的词语和句型。提示学生课文两部分内容是有联系的，一是 Tom 在本国，一是他已经到中国。课文1教师可一边带读，一边翻译，让学生了解意思。课文2则可以通过分角色朗读引导学生了解对话的内容。

（四）做练习1，熟悉本课的主要词语的搭配形式。

（五）做练习2，通过听力训练，进一步熟悉本课的词语。

（六）讲解句型：主语＋动词＋宾语＋动词$_重$＋得＋形容词（词组）。可提示本册第2课的句型"我说得很好"，再说明本课学习的句型是加上宾语的形式。

　　　　你说汉语说得很好。

　　　　她写汉字写得很漂亮。

（七）做练习3中的1)。

（八）讲解语言点：（不）＋难＋动词

　　　　汉语不难学。

　　　　火车票难买。

（九）做练习3中的2)。

（十）做练习3的3)和4)。复习已经学过的语言点。

65

（十一）做练习4，通过翻译复习词语和句型并巩固本课的语言学习内容。

（十二）做练习5，要求学生通过回答提出的问题，谈自己的汉语学习。也可以鼓励学生进一步发挥，谈更多的内容。

（十三）语音练习的内容是一首古诗，作者是唐代诗人贺知章。

（十四）根据学生的水平，选做一些教师用书中的练习。

（1）练习2、练习3是进一步掌握重点词语的发音和意义。

（2）练习4通过造句掌握本课的主要句型。

（3）练习5是朗读和会话练习，加深对本课语言点的理解。

（4）练习7可先进行朗读训练，再练习翻译。

（5）练习9是表达训练，有一定的难度，教师可先领读框中的词语，并进行一定的表达提示，然后鼓励学生说。

### 附：录音文本和答案

（一）练习2

（1）我是Tom，我快要中学毕业了。

（2）我是小海，我喜欢回答老师的问题。

（3）我是Mike，我每天写汉字。汉字不难写。

（4）我是Mary，我的汉语老师是中国人。

（5）我是丽丽，我每天做很多数学练习。

（6）我是Ann，我的汉语课本很有意思。

答案：

（1）×　　（2）✓　　（3）×　　（4）✓　　（5）×　　（6）✓

 ## 二、练习与课堂活动建议

\* 练习

（一）根据课文判断正误。

（1）Tom在中国学习汉语。（　　）

（2）Tom快要中学毕业了。（　　）

（3）Tom的汉语老师是美国人。（　　）

（4）Tom的老师说汉语说得很好。（　　）

（5）Tom不喜欢他的汉语课本。（　　）

（6）Tom同学都喜欢说汉语。（　　）

（7）Tom除了到北京，还要去广州。（　　）

（8）火车票不难买，Tom坐火车去。（　　）

（二）给下列词组注拼音并朗读。

| 汉语课本 | 德语课本 | 说法语 | 中学毕业 | 法语课本 |
|---|---|---|---|---|
| | | | | |
| 做练习 | 回答问题 | 写汉字 | 说汉语 | 说英语 |

（三）朗读下列词语并配上相应的图画。

(1) 法语课本

(2) 做数学练习

(3) 回答老师的问题

(4) 写汉字

(5) 说汉语

(6) 汉语课本

（四）用所给的词组造句。

| xiě hànzì<br>写汉字 | tā xiě hànzì xiě de hěn hǎo.<br>他写汉字写得很好。 |
|---|---|
| shuō Hànyǔ<br>(1) 说汉语 | |
| shuō Fǎyǔ<br>(2) 说法语 | |
| dǎ wǎngqiú<br>(3) 打网球 | |
| tī zúqiú<br>(4) 踢足球 | |
| zuò liànxi<br>(5) 做练习 | |
| huídá wèntí<br>(6) 回答问题 | |

（五）两人小组，朗读下列问句并仿照范例回答问题。

<table>
<tr><td>wèn<br>问</td><td>dá<br>答</td></tr>
<tr><td>Hànyǔ nán xué ma?<br>（1）汉语难学吗？</td><td>Hànyǔ bù nán xué.<br>汉语不难学。</td></tr>
<tr><td>Hànzì nán xiě ma?<br>（2）汉字难写吗？</td><td></td></tr>
<tr><td>Huǒchēpiào nán mǎi ma?<br>（3）火车票难买吗？</td><td></td></tr>
<tr><td>Tā xiě hànzì xiě de piàoliang ma?<br>（4）他写汉字写得漂亮吗？</td><td></td></tr>
<tr><td>Tā tī zúqiú tī de hǎo ma?<br>（5）他踢足球踢得好吗？</td><td></td></tr>
<tr><td>Tā chànggē chàng de hǎo ma?<br>（6）她唱歌唱得好吗？</td><td></td></tr>
</table>

（六）根据拼音写汉字。

（1）Tā xiě hànzì xiě de hěn hǎo.

_____。

（2）Wǒ dào Běijīng xuéxí Hànyǔ.

_____。

（七）朗读并翻译。

我是小海的朋友Mike，我在北京学习汉语。我的老师是中国人，他常常问问题，我喜欢回答问题。我说汉语说得不太好，我的中国同学常常跟我一起说汉语、做汉语练习，他们回答我的问题回答得很清楚，现在我的汉语越来越好。

（八）问答搭配。

（1）你说汉语说得真好！(e)

（2）汉语课本难买吗？

（3）姐姐写汉字写得好吗？

（4）火车票难买吗？

（5）哥哥会打网球吗？

（6）汉语难学吗？

a 她写汉字写得很漂亮。

b 火车票很难买。

c 汉语不难学，学汉语很有意思。

d 不难买，书店里有很多汉语课本。

e 谢谢，我很喜欢说汉语。

f 会，他打网球打得很好。

（九）朗读并模仿范例谈自己的朋友和他／她的爱好。

我的朋友叫＿＿＿＿＿，他／她是学生，在 | 中国的中学<br>美国的中学<br>…… | 学习。

他／她很喜欢 | 唱歌<br>打网球<br>…… | ，他／她 | 唱歌唱得很好<br>打网球打得很好<br>…… | 。

除了 | 唱歌<br>打网球<br>…… | ，他／她还喜欢 | 表演戏剧<br>打乒乓球<br>…… | 。

他／她 | 表演戏剧表演<br>打乒乓球打<br>…… | 得好极了。

附：练习答案

（一）练习1

(1) ×　　(2) ✓　　(3) ✓　　(4) ✓　　(5) ×　　(6) ✓　　(7) ×　　(8) ×

（二）练习4

(1) 说汉语　　　　　他／哥哥说汉语说得很好。

(2) 说法语　　　　　她／姐姐说法语说得很好。

(3) 打网球　　　　　我的朋友打网球打得很好。

(4) 踢足球　　　　　我们班的男同学踢足球踢得很好。

(5) 做练习　　　　　我们做练习做得很好。

(6) 回答问题　　　　老师回答问题回答得很好／很清楚。

（三）练习6

(1) 他写汉字写得很好。

(2) 我到北京学习汉语。

（四）练习8

(1) e　　　(2) d　　　(3) a　　　(4) b　　　(5) f　　　(6) c

大家都想一想班上同学的特长，如：有的唱歌唱得好，有的游泳游得好，有的写诗写得好……然后用本课学习的句型表达出来。遇到生词可以通过查词典、问老师或中国同学解决，最终目标是把全班每个同学的某个特长都用汉语写出来，在板报上配上图画或照片公布。

 **三、语言点与背景知识提示**

（一）主语＋动词＋宾语＋动词$_重$＋得＋形容词（或词组）

在本册第2课我们学习了 "主语＋动词＋得＋形容词（或词组）表示对动作的评价或判断，如：

> 我说得很好。

> 我写得不太好。

本课学习这种句型在动词后有宾语的形式。在这种情况下要重复动词，"得"后面一般是形容词词组：

主语＋动词＋宾语＋动词$_重$＋得＋形容词（或词组）。

> 你说汉语说得真好！

> 她回答问题回答得很清楚。

> 他们表演节目表演得精彩极了。

应注意以下两点：

（1）动词后的形容词前面一般加上"很"，但在这种形式中，"很"表示程度的意思不强。

（2）这种句子的第一个动词有时可以省略，如：

> 她唱中国歌唱得很好。　　→她中国歌唱得很好。

> 她回答问题回答得很清楚。→她问题回答得很清楚。

（二）（不）＋难＋动词

"难"可以放在动词前面表示做某事有困难，不容易，否定形式是在"难"前面加上"不"。主语＋（不）＋难＋动词，如：

> 火车票难买。

> 这条路难走。

> 这个汉字很难写。

> 这个练习不难做。

> 这个问题不难回答。

（三）中国古代大教育家孔子

孔子（公元前551－－前749），山东曲阜人。他是中国古代的大教育家，也是儒学的创始人。孔子30岁时，已博学多才，成为当时较有名气的一位学者，并开创私人办学之先河。在教学实践中，他总结出一整套教育理论，如因材施教、学思并重、启发诱导等教学原则，他还倡导学而不厌、诲人不倦的教学精神，这些教育思想都为后人所称道。孔子一生的主要言行，由他的弟子整理编成《论语》一书，此书成为儒家学派的经典著作。

## Confucius: Ancient China's Great Educator

Confucius (551 B.C. to 749 B.C.), born in Qufu, Shandong, was a great educator in ancient China and the founder of Confucianism. He was already learned and versatile at the age of 30, becoming a relatively famous scholar of the time, and started the trend of privately run schools. In the area of practical education, he summarized a complete set of educational theories, for example, teaching according to student ability, putting an equal stress on learning and thinking, and enlightenment and guidance, among other educational principles. He advocated the educational spirit of having an insatiable desire to learn and being tireless in teaching. His educational theory has been commended by later generations. Confucius's major words and deeds were organized by his disciples in book form as "The Analects", which has become the classic work of the Confucian school.

# 第十一课　比赛四点才开始

## 教学目标

**交 际 话 题**：谈课外活动。

**语 言 点**：比赛四点才开始。

　　　　　　要是天气好，我们就去。

**生 词**：队　活动　体操　戏剧　发烧

　　　　　　看病　才　要是……就……

　　　　　　开（门）　星期天

**汉 字**：活　烧　操　戏　才　队

 一、基本教学步骤及练习要点

（一）导入：问学生中学有什么课外活动？有什么运动队？他们常常参加什么活动？

（二）带读生词，朗读课文，一边带读，一边跟学生讲解课文的内容。

（三）做练习1，熟悉主要词语的发音。

（四）做练习2，训练学生听懂本课的词语。

（五）讲解本课语言点"才"：主语＋时间词语＋才＋动词（词组）。

　　　比赛四点才开始。

（六）做练习3的1)和2)，掌握"才"的意思和基本表达方式。

（七）讲解句型：要是……就……

　　　要是天气好，我们就去。

（八）做练习3的3)和4)，熟悉掌握"要是……就……"语义和用法。

（九）做练习4，通过认读和翻译，进一步理解本课的词语和重点句型。

（十）做练习5，训练学生灵活运用语言的能力，让学生表达自己的计划，句型的提示可以作为参考。

（十一）根据学生的水平，选择一些教师用书中的练习。

（1）练习2让学生进一步掌握本课生词的形、音、义。

（2）练习3引导学生朗读并认读词语，并进行选择。

（3）练习4和练习5都是练习本课的主要句型。

（4）练习7可以让学生认读与书面翻译，也可以采取由教师念句子，学生口头翻译的形式，应根据学生水平和教学安排选择。

（5）练习9是自由表达训练，提示的词语和句型可以帮助表达，也可以鼓励学生用自己的话来表达。

附：录音文本和练习答案

(一) 练习 2

(1) 足球队在运动场比赛足球。

(2) 小红是体操队的，她喜欢体操。

(3) 戏剧队在礼堂表演戏剧。

(4) 明明发烧了，他在医院看病。

(5) 现在七点，图书馆没有开门。

(6) 我们班的同学在教室唱歌。

 **二、练习与课堂活动建议**

\* 练习

(一) 根据课文回答问题。

(1) 我们的学校在什么地方？

(2) 学校里有什么运动队？

(3) 星期天戏剧队在哪儿表演？

(4) 星期天礼堂几点开门？

(5) 篮球比赛几点开始？

(6) 明明来比赛了吗？

(7) 明明的家远不远？

(8) 我们怎么去他的家？

(二) 给词语注拼音。

| | |
|---|---|
| (1) 乒乓球队 | |
| (2) 体操队 | |
| (3) 表演戏剧 | |
| (4) 比赛篮球 | |
| (5) 学校的活动 | |
| (6) 老师和同学 | |

(三) 朗读词组，并选出你这个星期六和星期天最想做的八件事。

| kàn diànshì<br>看电视 | kàn diànyǐng<br>看电影 | gēn péngyou sàn bù<br>跟朋友散步 | qù fànguǎn chīfàn<br>去饭馆吃饭 | qù chāojí shìchǎng<br>去超级市场 | qù bówùguǎn<br>去博物馆 |
|---|---|---|---|---|---|
| zuò zuòyè<br>做作业 | kàn shū<br>看书 | dǎ wǎngqiú<br>打网球 | kàn biǎoyǎn<br>看表演 | shàng wǎng<br>上网 | kàn lánqiú bǐsài<br>看篮球比赛 |
| kàn zúqiú bǐsài<br>看足球比赛 | dǎ lánqiú<br>打篮球 | dǎ pīngpāngqiú<br>打乒乓球 | tī zúqiú<br>踢足球 | chàng gē<br>唱歌 | yóuyǒng<br>游泳 |

73

| (1) | (2) |
|-----|-----|
| (3) | (4) |
| (5) | (6) |
| (7) | (8) |

（四）选择词语完成句子。

| | |
|---|---|
| yǒu Hànyǔkè<br>a 有汉语课 | nǐ bù xǐhuan kāfēi<br>d 你不喜欢咖啡 |
| nǐ xiǎng kàn shū<br>b 你想看书 | tiānqì hǎo<br>e 天气好 |
| bówùguǎn bù yuǎn<br>c 博物馆不远 | zhè ge diànyǐng yǒuyìsi<br>f 这个电影有意思 |

Yàoshi                          wǒmen jiù qù yùndòngchǎng tī qiú.
(1) 要是＿＿＿＿＿＿＿＿，我们就去运动场踢球。

Yàoshi                 jiù qù túshūguǎn ba.
(2) 要是＿＿＿＿＿＿＿＿，就去图书馆吧。

Yàoshi                          wǒmen jiù zhǔn bèi Hànyǔ kèběn.
(3) 要是＿＿＿＿＿＿＿＿，我们就准备汉语课本。

Yàoshi                          wǒmen jiù zǒu lù qù.
(4) 要是＿＿＿＿＿＿＿＿，我们就走路去。

Yàoshi                 jiù hē guǒzhi ba.
(5) 要是＿＿＿＿＿＿＿＿，就喝果汁吧。

Yàoshi                          wǒmen jiù qù mǎi piào.
(6) 要是＿＿＿＿＿＿＿＿，我们就去买票。

（五）问答搭配。

Pingpāngqiú bǐsài kāishǐle ma?
(1) 乒乓球比赛开始了吗？

Bówùguǎn shí diǎn cái kāimén.
a. 博物馆十点才开门。

Jiějie jǐ diǎn huíjiā?
(2) 姐姐几点回家？

Méi yǒu, bǐsài wǔ diǎn cái kāishǐ.
b. 没有，比赛五点才开始。

Gēge jǐ hào kǎoshì?
(3) 哥哥几号考试？

Méi yǒu, tāmen xīngqīsān cái xùnliàn.
c. 没有，他们星期三才训练。

Xìjù duì xīngqī jǐ biǎoyǎn?
(4) 戏剧队星期几表演？

Tā shí'èr hào cái kǎoshì.
d. 他十二号才考试。

Tǐyùguǎn kāiménle ma?
(5) 体育馆开门了吗？

Tā měitiān liù diǎn cái huíjiā.
e. 她每天六点才回家。

Nǐmen jǐ diǎn qù lǐtáng?
(6) 你们几点去礼堂？

Méi yǒu, tǐyùguǎn jiǔ diǎn cái kāimén.
f. 没有，体育馆九点才开门。

Lánqiú duì xùnliànle ma?
(7) 篮球队训练了吗？

Xìjù duì xīngqītiān cái biǎoyǎn.
g. 戏剧队星期天才表演。

Bówùguǎn jǐ diǎn kāimén?
(8) 博物馆几点开门？

Wǒmen qī diǎn cái qù lǐtáng.
h. 我们七点才去礼堂。

（六）根据拼音写汉字。

(1) Wǒmen xuéxiào yǒu hěn duō huódòng.

_____。

(2) Wǒ shì tǐcāo duì de，wǒ péngyou shì xìjù duì de.

_____，_____。

（七）朗读与翻译。

我叫小海，我在北京的中学学习，我很喜欢我的学校，我们在学校里除了上课，还有很多活动。我是学校的乒乓球队的。每天下午要是天气好，我们就在运动场训练，要是天气不好，我们就在体育馆训练。我的同学丽丽是戏剧队的。他们常常在礼堂练习表演。我看过他们表演的中国戏剧，他们表演的好极了，这个星期天他们要表演英国戏剧，我和同学都要去看。

（八）连接句子。

(1) 要是你发烧，                     a 我们就去电影院。

(2) 要是星期天天气好，         b 就去运动队吧。

(3) 要是火车票难买，            c 就去看病吧。

(4) 要是书店有汉语课本，      d 我们就坐飞机去。

(5) 要是你想看电影，           e 我们就去郊区。

(6) 要是你喜欢运动，           f 我们就去买。

（九）两人小组，谈学校的课外活动，可以用提示的词语和句型。

| | | | | |
|---|---|---|---|---|
| 篮球队 | 乒乓球队 | 足球队 | 体操队 | 戏剧队 |
| 打篮球 | 打乒乓球 | 踢足球 | 练习体操 | 表演戏剧 |
| 游泳 | 唱歌 | 学习书法 | 学习国画 | |

(1) 我们学校有很多活动，有乒乓球队……

(2) 我的爱好是……

(3) 我最喜欢的活动是……

(4) 我是乒乓球队的／羽毛球队的……

(5) 我们每个星期一／二／三……训练

(6) 我们常常比赛篮球／足球……

附：练习答案

（一）练习4

(1) e    (2) b    (3) a    (4) c    (5) d    (6) f

（二）练习 5

(1) b　　　(2) e　　　(3) d　　　(4) g　　　(5) f　　　(6) h　　　(7) c　　　(8) a

（三）练习 6

我们学校有很多活动。

我是体操队的，我朋友是戏剧队的。

（四）练习 8

(1) c　　　(2) e　　　(3) d　　　(4) f　　　(5) a　　　(6) b

## 三、语言点与背景知识提示

（一）主语＋时间词语＋才＋动词（词组）

"才"在句子中一般放在时间词语的后面，动词的前面，表示时间晚，花费时间长的意思，基本形式是：

主语＋时间词语＋才＋动词（词组）

　　博物馆九点才开门。

　　我们下个星期才出发。

　　他们的班机下午才到达。

（二）要是……就……

"要是……就……"连接的句子，前面部分表示假设或者条件，有"如果"的意思，后面部分表示结果或推论。如：

　　要是明天天气好，我们就去郊区。

　　要是没有意外的情况，我们就星期三出发。

　　要是我们汉语学习有问题，我们就问汉语老师。

注意：用"要是……就……"的句子，"就"只能出现在主语后，下面的句子是错误的：

　　×要是明天天气好，就我们去郊区。

　　×要是没有意外的情况，就我们星期三出发。

（三）太极拳

太极拳是中国武术的一个主要类别，已经有三百多年历史了。在长期发展中，太极拳形成了多种流派。最近几十年来，八十八式太极拳、四十八式太极拳较为普及和流传。不同流派的太极拳，动作大同小异，共同特点是身体放松，心情安静，动作舒缓，动作与呼吸配合。太极拳有健体强身、防治慢性疾病的作用，所以受到大家的喜爱。许多来中国旅游或学习的外国人也对这项中国的传统体育活动很感兴趣。现在太极拳已成为中国对外传播的首选传统体育项目。

**Tai Chi (Taiji Shadowboxing)**

Tai Chi is one of the major types of Chinese martial arts, with a history of over 300 years.

Through a long period of development, Tai Chi has formed many different schools. In recent years, the 88-movement Tai Chi and the 48-movement Tai Chi have been rather popular forms. The motions of different schools of Tai Chi are similar, with minor differences. The similarities include a relaxed body, a peaceful state of mind, slow movements, and the coordination of movement and breath. Tai Chi is popular among people because it can build healthy and strong bodies, and prevent chronic diseases. Many foreigners who come to China to study or travel are also very interested in this traditional Chinese physical activity. Today, Tai Chi has become China's first choice as a traditional physical activity to spread abroad.

# 第十二课　看看我的电子邮件

## 教学目标

**交 际 话 题**：谈互联网的活动。

**语　言　点**：我看看我的电子邮件。

　　　　　　我跟爸爸一样喜欢看新闻。

**生　　　词**：互联网　德文　小学　学期　信　错

　　　　　　困难　笔友　成年人　帮助

**汉　　　字**：成　错　困　难　帮　助

　**一、基本教学步骤及练习要点**

（一）导入：问学生是否上网，喜欢上网做什么？有没有笔友？跟笔友怎么联系，是通过邮局还是用电脑写电子邮件。通过提问提出一些本课的重要词语。

（二）带读生词表，熟悉词语发音和意义。

（三）带读并翻译讲解课文，让学生对本课的词语和句型都有初步的了解。

（四）做练习1，熟悉一些相关词组的发音和意义。

（五）做练习2，通过听力训练，使学生熟悉本课的词语和语言点。

（六）联系本册第2课学习的动词重叠的用法，指导学生理解本课的语言点：

主语＋动词重叠＋宾语

　　我看看书

　　我听听音乐

（七）做练习3 中的 1)熟悉"动词重叠＋宾语"的用法。

（八）讲解语言点：A跟B一样＋动词＋动词词组

　　我跟他一样喜欢看新闻

　　他跟我一样喜欢看体育节目

（九）做练习3中的 2)－4)，熟悉以上句型，并复习动词后加"了"的句型。

（十）做练习4，通过翻译巩固本课的语言学习内容。

（十一）做练习5，通过这个认读训练，要求学生学习阅读中文，并能掌握主要信息，再做出判断。

（十二）做练习6，通过讨论问题学习自由表达。

（十三）根据教学情况和学生水平，选做一些教师用书中的练习。

（1）练习2熟悉词语的发音。

（2）练习3是词语运用的练习。

(3) 练习4是训练学生在实际交流中运用词语和句型。

(4) 练习6是翻译语段，结合复习了一些以前学过的语言点。

(5) 练习7是自由表达训练，可以鼓励学生尽量多说。

### 附： 录音文本与答案

（一）练习2

(1) A：明明，我们一起看电视吧。

　　B：好，今天的电视节目很好。

(2) A：小红，你做了作业吗？

　　B：做了，我现在想看看书，看看报。

(3) A：Tom，你给你的笔友写中文信吗？

　　B：对，我常常给中国笔友写中文信。

(4) A：Ann，你喜欢看中国电影吗？

　　B：我跟我的朋友一样喜欢看中国电影。

(5) A：爸爸，你常常上网做什么？

　　B：我每天都看看互联网上的新闻。

(6) A：妈妈，你去买什么书？

　　B：我去书店买汉语课本。

（二）练习5

| 1 | 6 | 3 |
|---|---|---|
| 5 | 2 | 4 |

## 二、练习与课堂活动建议

\* **练习**

（一）根据课文判断正误。

(1) 明明的爸爸不喜欢上网。（　　）

(2) 明明的妹妹在小学学习。（　　）

(3) 明明的妹妹喜欢写电子邮件。（　　）

(4) 明明和爸爸都喜欢看互联网上的新闻。（　　）

(5) 明明有一个德国的笔友。（　　）

(6) 明明给他的德国笔友写中文信。（　　）

(7) Mike 这个学期在北京。（　　）

(8) 明明的笔友都是中学的学生。（　　）

（二）汉字对应拼音。

| (1) 德国笔友 | a. xīn de xuéqī |
|---|---|
| (2) 成年人和孩子 | b. lǎoshī bāngzhù xuésheng |
| (3) 小学和中学 | c. hùliánwǎng de yóuxì |
| (4) 学习的困难 | d. xiě Déwén xìn |
| (5) 互联网的游戏 | e. xiǎoxué hé zhōngxué |
| (6) 写德文信 | f. Déguó bǐyǒu |
| (7) 老师帮助学生 | g. xuéxí de kùnnan |
| (8) 新的学期 | h. chéngniánrén hé háizi |

（三）选择恰当的词语填空。

| a 错 | b 德国 | c 小学 | d 帮助 |
|---|---|---|---|
| e 运动 | f 德文 | g 快 | h 法语 |

(1) 因为我不太清楚，所以回答问题回答_____了。

(2) 我在中学学习_____，我常常给_____笔友写_____信。

(3) 我妹妹在_____学习，她喜欢她的学校。

(4) 要是我们有困难，老师就_____我们。

(5) 她常常去法国，所以她说_____说得很好。

(6) 我的哥哥喜欢_____，他打乒乓球打得很好，跑步也跑得很_____。

（四）两人一组，给问题找到对应的回答并朗读对话。

(1) 你们学校有计算机课吗？

(2) 你现在想做什么？

(3) 你有没有中国笔友？

(4) 你给笔友写中文信吗？

(5) 你在互联网上除了写电子邮件，还做什么？

(6) 你现在想去哪儿？

 a. 我想看看互联网上的新闻。

 b. 我给他写英文信。

 c. 我去图书馆看看书。

 d. 我们有计算机课。

 e. 我有一个中国笔友。

 f. 除了写电子邮件，我还看互联网上的体育新闻。

（五）根据拼音写汉字。

(1) Wǒ yǒu Zhōngguó bǐyǒu, wǒ xǐhuan xiě Zhōngwén xìn.

　　_____，_____。

(2) Yàoshi wǒ yǒu kùnnan, wǒ de lǎoshī jiù bāngzhù wǒ.

　　_____，_____。


（六）朗读并翻译。

我的爸爸在大学工作，他是大学的老师。他喜欢上网看新闻，我也喜欢看互联网上的新闻。除了看新闻，我还喜欢听互联网上的音乐。我的笔友跟我一样喜欢听音乐。我的妹妹喜欢电脑游戏，她的爱好跟我不一样。


（七）模仿课本练习7，写或说一段话，介绍你自己，在互联网上征笔友。

例如：

我叫……

我家／我的学校在……

我喜欢……

我会英文／中文……

我想找一个喜欢看书／喜欢书法／喜欢打乒乓球……的笔友。


附：练习答案

（一）练习1

(1) ×　(2)✓　(3)×　(4)✓　(5)✓　(6)×　(7)✓　(8)×

（二）练习5

(1) 我有中国笔友，我喜欢写中文信。

(2) 要是我有困难，我的老师就帮助我。


＊课堂活动建议

给学生介绍中国中学生为笔友，如果写中文信有困难，可以中英文混合使用写信，先进行交流，再逐步学习写中文。

 三、语言点与背景知识提示

（一）动词重叠＋宾语

本册第2课学习了动词重叠的形式，本课学习的是动词重叠＋宾语的句型，基本形式是：主语＋动词＋动词＋宾语

　　　我写写汉字。

　　　你试试这件衣服。

你说说学校的情况。

大家谈谈自己的看法。

"动词重叠+宾语"可以使得句子表达的内容更加丰富，就动词重叠表达的意义来说，与单纯的动词重叠没有区别。


（二）A跟B一样+动词+动词词组

第二册第17课学习了A跟B一样+动词（或动词词组）

我跟爸爸一样喜欢京剧。

本课学习的句型是在"动词"后跟动词词组，这个动词词组是前一动词的宾语。基本形式是：

A跟B一样+动词+动词词组

我跟他一样喜欢看互连网上的新闻。

我跟我的朋友一样喜欢看京剧。

他跟我一样喜欢走路去学校。


（三）中学网校

随着互联网的普及，中国一些有能力的中学，纷纷建立了自己的网校——远程教育网。这些网校面向全国各地的中学生，为他们提供各门课程的辅导。中学生可以在家通过网络提出课程的疑难问题，网校组织有经验的教师给予解答指导。网校还提供在线测试、习作交流、网上家长交流等服务。中学生可以通过网校，分享名校的教学资源，也可以得到与其他学校的学生和老师进行网上交流的机会。以下是北京几所重点中学网校的网址：

北京四中网校：　　　http://www.etiantian.com

北京汇文中学网校：　www.huiwen.cn.com

北京101中学网校：　www.chinaedu.com


## Internet High Schools

As the Internet has become more and more popular, some Chinese high schools with the capability have set up their own Internet schools, called distance-learning networks. These Internet schools are geared to the needs of high school students throughout the whole country, and provide tutoring for all courses. High school students can ask difficult questions about courses through the Internet while at home, and the Internet school will arrange experienced teachers to answer questions and provide guidance for students. The Internet schools also provide services like online tests, homework study sessions, online parent communication, and so on. Through Internet schools, high school students can share in the teaching resources of famous schools, and communicate with teachers and students from different schools online. Below are the web addresses of the Internet schools of several of Beijing's key high schools:

Beijing No. 4 High School's Internet School: http://www.etiantian.com
Beijing Huiwen High School's Internet School: http://www.huiwen.com.cn
Beijing No. 101 High School's Internet School: http://www.chinaedu.com

# 第四单元测验

## 1、听后选择。

| | | | | | |
|---|---|---|---|---|---|
| 例：我爸爸 | ✓ | | | | |
| 我妈妈 | | | | | |
| 我哥哥 | | | | | |
| 我妹妹 | | | | | |
| 我 | | | | | |

## 2、说一说。

(1) 谈谈你们的课外活动。
*Tántán nǐmen de kèwài huódòng.*

我们学校有很多活动。我们常常
*Wǒmen xuéxiào yǒu hěn duō huódòng. Wǒmen chángcháng*

打篮球
表演戏剧
……
。

要是 天气好 没有课 …… ，我们就 打篮球 表演戏剧 …… 。
*Yào shi* *wǒmen jiù*

我的同学 打篮球打 表演戏剧表演 …… 得很好。
*Wǒ de tóngxué* *de hěn hǎo.*

……

(2) 谈谈你的学习。
*Tántán nǐ de xuéxí.*

我跟很多同学一样喜欢学习 汉语 书法 …… ， 汉语 书法 …… 不难学，
*Wǒ gēn hěn duō tóngxué yíyàng xǐhuan xuéxí* *bù nán xué,*

……

要是我 有困难 有问题 …… ，老师就帮助我。
*yàoshi wǒ* *lǎoshi jiù bāngzhù wǒ.*

84

3、汉字对应拼音。

(1) 体操队　　　　　　　a. huídá wèntí

(2) 写汉字　　　　　　　b. yǒu kùnnan

(3) 说汉语　　　　　　　c. bāngzhù tóngxué

(4) 有困难　　　　　　　d. xiě Déwén xìn

(5) 写德文信　　　　　　e. tǐcāo duì

(6) 回答问题　　　　　　f. xiě hànzì

(7) 表演戏剧　　　　　　g. shuō Hànyǔ

(8) 帮助同学　　　　　　h. biǎoyǎn xìjù

4、读下列语段，并选择正确的答案，打✓。

我叫Mike，我是英国人，我喜欢打篮球，也喜欢在互联网上写电子邮件。这个星期六我的作业不多，我上午去体育馆打篮球。下午我在学校的礼堂看戏剧表演。我回家以后，给我的中国笔友写电子邮件。他叫小东，是中学的学生。他会英语。我给他写英文信，他给我写中文信。

(1) Mike 喜欢做什么？

(2) 星期六他去了什么地方？

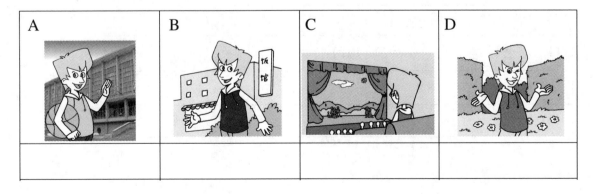

(3) 小东是……

| A | B | C |
|---|---|---|
| 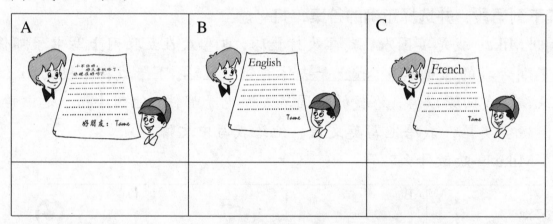 | | |
| | | |

(4) 我给小东写……

| A | B | C |
|---|---|---|
| 好朋友：Tame | English Tame | French Tame |
| | | |

5、用框中的提示，选出你喜欢做的事，用汉字写出来。

| | |
|---|---|
| see a film | study history |
| study Chinese | study French |
| play basketball | play tennis |
| listen to music | do drama, act |
| read books | read a newspaper |

| (1) 看电影 | (2) |
|---|---|
| (3) | (4) |
| (5) | (6) |

**6、用汉字写句子。**

(1) Wǒ huì xiě hànzì, wǒ huídále lǎoshī de wèntí.

_____。

(2) Wǒ yǒu kùnnan, wǒ de fùmǔ bāngzhù wǒ.

_____。

(3) Wǒ shì tǐcāo duì de, wǒ de péngyou shì xìjù duì de.

_____。

**7、翻译。**

(1) 要是这个星期六天气好，我就去体育馆看体操表演。我的妹妹是体操队的，她表演体操表演得很好。

(2) 我跟哥哥一样喜欢写电子邮件。我的笔友是法国人，我写法文信。哥哥的笔友是中国人，他写中文信。

(3) 我今天想去图书馆看看书。图书馆九点才开门。我八点半坐汽车去。

# 第四单元测验部分答案

**1、听后选择。**

录音文本：

我家的人都有爱好。我爸爸打网球打得很好。我妈妈喜欢学习书法，她写汉字写得很漂亮。我哥哥喜欢表演戏剧，他是学校戏剧队的。我妹妹喜欢上网，她喜欢给笔友写电子邮件。我跟爸爸一样喜欢打网球，除了打网球以外，我还喜欢体操，我是学校体操队的。

**3、汉字对应拼音。**

(1) e    (2) f    (3) g    (4) b    (5) d    (6) a    (7) h    (8) c

**4、读下列语段，并选择正确的答案，打✓。**

(1) AB     (2) AC     (3) A     (4) B

**6、用汉字写句子。**

(1) 我会写汉字，我回答了老师的问题。

(2) 我有困难，我的父母帮助我。

(3) 我是体操队的，我的朋友是戏剧队的。

第五单元
健　康

## 第十三课　他从来没吃过中药

### 教学目标

**交际话题**：看病。

**语言点**：胃疼得很。

　　　　　他从来没吃过中药。

**生　词**：喉咙　鼻子　耳朵　手　背　脚

　　　　　牙齿　胃　药房　中药　西药

　　　　　从来　伤风　咳嗽　药　开水

**汉　字**：耳　背　脚　牙　胃　药

## 一、基本教学步骤及练习要点

（一）导入：

问问学生：最近生过病吗？生病的时候家人会怎么做？常常去什么医院？你会用汉语说几个身体部位的名称吗？

领读生词。

（二）做练习1，根据图片填号码。练习目的是认读某些身体部位的名称。

（三）做练习2，根据录音判断图的正误。练习目的是听懂本课的句型和部分生词。

（四）做练习3，替换练习，练习目的是掌握本课句型的用法。

根据学生的水平，或只做替换练习，或把替换后的句子放入一个更长的句子或对话中。

（五）做练习4，翻译。练习目的是掌握本课的句型和生词的意义。

根据学生情况，可以老师说句子，学生听后口头翻译。也可以让学生朗读句子后做口头翻译。

（六）做练习5，根据录音判断正误。

这是一个综合练习，练习目的一是听懂录音中句子的意思，二是看懂课本上的句子，并根据录音内容判断正误。

（七）做练习6，回答问题。

这也是一个综合练习，练习目的是用本课的句型和以前学过的词语进行口头表达。

（八）做练习7，写汉字。

（九）做练习8，发音练习。

附：录音文本和练习答案

（一）练习2

(1) 我的背疼得很。

(2) 药房里有很多中药，也有很多西药。

(3) 我从来没有去过医院。

(4) 妈妈想要开水，因为她想喝茶。

(5) Mary 伤风了，可是不发烧。

(6) Tom 昨天开始咳嗽，现在他的喉咙疼得很。

(7) 我吃了药，现在要休息。

(8) 要是明天我的脚还疼，就不去比赛了。

答案：

(1) ×    (2) ×    (3) ×    (4) ✓    (5) ×    (6) ✓    (7) ✓    (8) ×

（二）练习5

A：今天小海没来学校吧?

B：没有。我给他打了电话，他病了。

A：他去了医院吗?

B：去了。

A：他现在在哪儿?

B：他在家里休息。

A：他从来没病过。

B：对。他妈妈说，他从来没去过医院。

A：我们一起去看看他吧。

B：走吧。

答案：

(1) 正    (2) 正    (3) 误    (4) 正    (5) 误

 **二、练习与课堂活动建议**

\* 练习

（一）根据课文判断正误。

(1) 今天明明和小红都没去学校，因为他们病了。

(2) 明明的胃疼得不得了。

(3) 明明不想吃中药。

(4) 小红感冒了。

(5) 明明和小红都去了医院。

(6) 妈妈给小红吃了药，也给她喝了很多水。

(7) 明天明明和小红去上课。

(8) A 是一个医生。

（二）把词组和相应的拼音连起来。

(1) 牙疼　　　　　　　　　a. bèi téng
(2) 喉咙疼　　　　　　　　b. jiǎo téng
(3) 胃疼　　　　　　　　　c. yá téng
(4) 头疼　　　　　　　　　d. shǒu téng
(5) 耳朵疼　　　　　　　　e. wèi téng
(6) 手疼　　　　　　　　　f. tóu téng
(7) 背疼　　　　　　　　　g. hóulóng téng
(8) 脚疼　　　　　　　　　h. ěrduo téng
(9) 肚子不舒服　　　　　　i. bízi bù shūfu
(10) 鼻子不舒服　　　　　　j. yǎnjing bù shūfu
(11) 眼睛不舒服　　　　　　k. dùzi bù shūfu

（三）根据拼音写中文。

(1) Zǎoshang wǒ qùle gōngyuán, shí'èr diǎn cái huílái, xiànzài bèi téng,

_____，_____，_____，

jiǎo yě téng.

_____。

(2) Míngming chīle hěn duō ròu, tā de wèi téng jí le.

_____，_____。

(3) Bàba de yá téng, tā méi yǒu yào, tā xiànzài qù yīyuàn.

_____，_____，_____。

（四）找找本课有"口"这个部分的汉字，写在下面，看看这些字有哪几个部分。

（五）看图说话。

90

(1) 用课文前面的动物医院的图片，说明每个动物的病状。

　　　疼　不舒服　红了　……

(2) 试试说明这些动物因为什么生的病。

　　　感冒了　伤风了　吃了很多东西　走得很远　孩子打了……

(3) 你能给这些动物一些治病的建议吗？

　　　在家休息　喝开水　睡觉　不到外边去……


(六) 朗读并翻译。

(1) 昨天我去游泳，晚上九点才回家，天气很冷。

(2) 晚上十一点，我的头疼极了，喉咙也疼得很，还咳嗽。

(3) 今天早上妈妈跟我一起去医院看病，医生说，我伤风了。

(4) 医生给我吃了中药，现在我不咳嗽了。


## 附：录音文本和练习答案

(一) 练习1

(1) 正　(2) 正　(3) 误　(4) 正　(5) 误　(6) 正　(7) 误　(8) 误

(二) 练习2

(1) c　(2) g　(3) e　(4) f　(5) h　(6) d

(7) a　(8) b　(9) k　(10) i　(11) j

(三) 练习3

(1) 早上我去了公园，十二点才回来，现在背疼，脚也疼。

(2) 明明吃了很多肉，他的胃疼极了。

(3) 爸爸的牙疼，他没有药，他现在去医院。

(四) 练习4

　　　和　吃　喉　咙　喝　吗　咳　嗽　吧


## ＊　课堂活动建议

看谁反应快：

学生 A 把食指放在鼻子上，学生 B 说出一个身体的部位，如"牙齿"，同时自己指自己的牙齿，学生 A 听懂后也要尽快地把手指指在牙齿上。如果指对了，由学生 A 说部位，学生 B 听；如果指错了，换学生 C 说部位。依次进行。

## 三、语言点与背景知识提示

(一) 形容词＋得＋很／不得了

本课学习的"形容词＋得＋很／不得了"，是固定的表示程度的形式，其中用"不

91

得了"的程度高于用"很"的程度，比如：

　　热得很　　　　多得很　　　　高得很　　　　漂亮得很　　　　高兴得很

　　热得不得了　多得不得了　高得不得了　漂亮得不得了　高兴得很不得了

这两种形式没有相应的否定形式，也不能扩展。

（二）从来没……过

"从来"表示从过去到现在一直如此，有绝对肯定或绝对否定的语气。本课学习的"从来没……过"是"从来"用于否定句的其中一种形式，比如：

　　从来没吃过　　　从来没去过

　　从来没买过　　　从来没听说过

"从来没……过"也是"动词＋过"的一种否定形式，如：

| 问句 | 肯定回答 | 否定回答 |
| --- | --- | --- |
| 你吃过中国菜吗？ | 我吃过。 | 我从来没吃过。 |
| 你去过长城吗？ | 我去过。 | 我从来没去过。 |

（三）语音练习中的诗词：

这是唐朝诗人贾岛的《寻隐者不遇》。诗中只用几句问答，就自然地呈现了山高云深、隐者似有若无的意境，给人无限的遐想。

This poem, called "Unsuccessfully Seeking a Hermit", was written by the Tang dynasty poet Jia Dao. The poet uses just a few questions and answers to present the creative concepts of high mountains, deep clouds, and a hermit who seems to both exist and not exist, giving readers unlimited space to imagine.

# 第十四课　我的身体越来越好

## 教学目标

交 际 话 题：健身。

语 言 点：她每天做两个钟头的运动。

你喜不喜欢运动？

我每天六点就去打篮球。

生　　词：老　少　骑马　家务　钟头

宠物　身体　胖　瘦　矮　就

汉　　字：钟　家　身　马　胖　就

 **一、基本教学步骤及练习要点**

（一）导入：

问问学生：喜欢运动吗？一般常做什么运动？喜不喜欢宠物？有什么宠物？

领读生词。

（二）做练习1，把词组和相应的图片用线连起来。练习目的是了解本课生词的扩展用法。

（三）做练习2，根据录音判断图的正误。练习目的是听懂本课的句型和部分生词。

（四）做练习3，替换练习，练习目的是掌握本课的句型用法。

根据学生的水平，或只做替换练习，或把替换后的句子放入一个更长的句子或对话中。

（五）做练习4，翻译。练习目的是掌握本课的句型和生词的意义。

根据学生情况，可以老师说句子，学生听后口头翻译。也可以让学生朗读句子后做口头翻译。

（六）做练习5，回答问题。这是一个综合练习，练习目的是用本课的句型和以前学过的词语进行口头表达。

（七）做练习6，写汉字。


**附：录音文本和练习答案**

练习2

（1）我家的男女老少都喜欢看足球比赛。

（2）爸爸每个星期都去骑马。

（3）妈妈每天除了做家务以外，还做两个钟头的运动。

（4）我喜欢宠物，我有一只小猫和一只小狗。

(5) 我喜欢运动，我的身体好极了。

(6) 我喜欢吃东西，我现在越来越胖。

(7) Ann 比 Mary 矮一点儿。

(8) 昨天晚上我九点就睡觉了。

答案：

(1) ×　(2) ×　(3) ×　(4) ×　(5) ✓　(6) ✓　(7) ×　(8) ✓

 **二、练习与课堂活动建议**

（一）根据课文判断正误。

(1) 我家的每个人都喜欢运动。

(2) 爷爷每天去公园的湖边散步。

(3) 妈妈每天除了做家务，她还做两个运动。

(4) 小白是一只小猫，我很喜欢他。

(5) 因为我常常运动，所以我的身体很好。

(6) 因为 A 天天运动，所以他很瘦。

(7) A 很矮，所以他不喜欢打篮球。

(8) A 不想去打篮球，因为早上起床太早了。


（二）把词语和相应的拼音连起来。

(1) 最老　　　　　jiāwù

(2) 骑马　　　　　shēntǐ

(3) 家务　　　　　zhōngtóu

(4) 钟头　　　　　chǒngwù

(5) 宠物　　　　　zuì lǎo

(6) 身体　　　　　bù ǎi

(7) 太胖　　　　　qí mǎ

(8) 很瘦　　　　　hěn shòu

(9) 不矮　　　　　tài pàng


（三）根据拼音写中文。

(1) Wǒ huí jiā yí ge zhōngtóu le.

　　_____。

(2) Bàba de shēntǐ hěn pàng.

　　_____。

(3) Míngtiān zǎoshang wǔ diǎn jiù qǐ chuáng.

　　_____。

94

（四）找找本课有"木"这个部分的汉字，写在下面，看看这些字有哪几个部分。

（五）描述一个人的身体情况，并说明原因。

如果这个人身体不好，你能给一些建议吗？

参考词语：

| 身体情况： | 原因和建议： |
|---|---|
| 高　矮　胖　瘦　好 | 爱吃东西　不运动　常常运动 |
| 病　感冒　头疼　背疼…… | 打篮球　踢足球　打太极拳　游泳…… |

（六）朗读并翻译。

(1) 我的同学身体很不好，他很瘦，还常常感冒。

(2) 我说，要是常常运动，身体就越来越好了，他问我做什么运动。

(3) 我请他跟我一起去散步，除了散步以外，每天我们都在学校打篮球。

(4) 现在他不感冒了，也胖一点了，他越来越喜欢运动。

（七）把左边的问题和右边的回答用线连起来。

(1) 你每天几点起床？　　　　　a 我虽然很瘦，可是我的身体好极了。

(2) 你喜不喜欢宠物？　　　　　b 很多，我每天都做两个钟头的作业。

(3) 你的身体好不好？　　　　　c 我不吃，因为我越来越胖了。

(4) 你的作业多不多？　　　　　d 小红最矮。

(5) 你不吃牛肉吗？　　　　　　e 我不爱做家务。

(6) 你现在胖不胖？　　　　　　f 我每天六点半起床。

(7) 在你们班谁最矮？　　　　　g 我很喜欢，我有两只猫和两只狗。

(8) 你常常做家务吗？　　　　　i 我每天都运动，所以现在不胖。

**附：练习答案**

（一）练习1

(1) 正　　(2) 误　　(3) 误　　(4) 误　　(5) 正　　(6) 误　　(7) 正　　(8) 正

（二）练习3

(1) 我回家一个钟头了。

(2) 爸爸的身体很胖。

(3) 明天早上五点就起床。

（三）练习4

极　　样　　校

（四）练习7

(1) f　　(2) g　　(3) a　　(4) b　　(5) c　　(6) i　　(7) d　　(8) e

 三、语言点与背景知识提示

（一）喜不喜欢

在第二册第12课，我们学习了用"动词＋不＋动词"构成动词的正反疑问形式（即"A不A式"）提问的用法，比如：

你踢不踢足球？

你喝不喝咖啡？

本课学习的是有些表示感受或意愿的双音节动词构成的正反疑问形式，这样的形式有两种。

(1)"AB不AB"式，如：

喜欢不喜欢这本书？

希望不希望去？

同意不同意他的话？

(2)"A不AB"式，如：

喜不喜欢这本书？

希不希望去？

同不同意他的话？

由于这种用法不很规范，所以单元小结中没有列入。

（二）"数词＋（量词）＋名词"表示时间段

常见的表示时间段的"数词＋量词＋名词"短语有：

两个钟头　一个半小时　一个下午　一个星期　三个月

注意："年、季、天、刻钟、分钟"等词前面可以直接加数词构成表示时间段的短语，如：

一年　四季　两天　三刻钟　十分钟

（三）"就"

在第三册第11课我们学习过副词"才"的用法，"才"可以是表示时间晚的意思。如：

博物馆九点才开门。

我们下个星期才出发。

和"才"的这个意思相对的另一个副词是"就"，"就"可以用在时间词的后面，表示时间早的意思，如：

他每天六点就起床。

我们每天八点就上课。

96

其他的例子还有：

这件事我昨天就知道了。

他两年前就做老师了。

（四）中国武术

中国的武术最早起源于狩猎和战斗的生活，在两千多年前就已经存在了，并且逐渐发展至今。武术是以踢、打、摔、拿、击、刺等方法，按照攻守、进退、动静、快慢、刚柔、虚实的矛盾变化规律，编成各种套路进行演练的中华民族体育形式，内容非常丰富，有强烈的技击特点。武术主要可以分为徒手的拳脚肢体运动和持械运动两种形式。

## Chinese Martial Arts

Chinese martial arts, originating from hunting and fighting, were already in existence over 2000 years ago, and have gradually developed up to today. Chinese martial arts are a type of Chinese traditional physical activity that use kicking, punching, throwing, grabbing, attaching and stabbing, etc., to organize and practise many series of motions according to the contradictory changes and rules of attack and defend, advance and retreat, movement and stillness, quick and slow, firm and gentle, and tricks and reality. The content is extremely rich, with a strong focus on the techniques of attack and defence.There are two major forms of Chinese martial arts, one is unarmed Chinese boxing, and the other is armed.

# 第十五课　我们都爱吃她做的点心

## 教学目标

**交际话题：** 饮食习惯。

**语言点：** 我也吃肉，也吃菜。

我们都爱吃她做的点心。

他炒的菜不好吃。

**生　　词：** 吃饭　早饭　午饭　煮　晚饭

炒　爱　喝酒　喝醉

**汉　　字：** 煮　晚　炒　爱　喝　酒

 **一、基本教学步骤及练习要点**

（一）导入：

本课学习的是个人的饮食习惯。

问问学生：一般在家吃饭吗？是不是常常到外面吃饭？家里谁常常做饭？最喜欢他做的什么饭？家里人喜欢吃什么？有没有不吃的东西？

领读生词。

（二）做练习1，把词组和相应的英文用线连起来。练习目的是通过认读，进一步学习本课生词的扩展用法。

（三）做练习2，根据录音在相应图片下面的横线上写出人物。练习目的是听懂本课的生词。人物可以用拼音和英文写。

（四）做练习3，用给出的词语替换划线的部分。练习目的是掌握本课句型的结构和用法。

根据学生情况，可以用两种方法：

一是只做替换练习。

二是先做简单替换，然后教师给出相应的问题，让学生用替换后的句子回答，比如：

第1)组的第1句替换后为"我也爱吃牛肉，也爱吃鸡肉。"教师的问题可以是"你爱吃什么"或者"你爱吃牛肉吗？"

（五）做练习4，翻译。练习目的是掌握本课的句型和生词，并看懂它的扩展用法。

（六）做练习5，根据问题进行谈话。

这是一个综合练习，练习目的一是读懂问题，二是会用本课和以前学会的内容进行表达，是真实的口头交际操练。

（七）做练习6，写汉字。

附：录音文本与练习答案

（一）练习2

(1) Tom 不爱吃炒鸡蛋。

(2) 小红在家吃早饭。

(3) 明明在饭馆吃快餐。

(4) Mary 在学校吃午饭。

(5) 爸爸不爱喝酒。

(6) 哥哥喝醉了，他头疼。

## 二、练习与课堂活动建议

（一）根据课文判断正误。

(1) 学校离我家很近，所以我每天在家吃饭。

(2) 我的早饭有鸡蛋，面包和咖啡。

(3) 午饭我除了喜欢吃米饭和肉以外，也喜欢吃菜。

(4) 晚饭我吃得很多。

(5) 妈妈会炒菜，可是她不会做点心。

(6) 爸爸也会做饭，他炒的菜很好吃。

(7) 我妈妈炒的菜比我爸爸炒的菜好吃。

(8) 我爸爸爱喝酒，他常常喝醉。


（二）把汉字和拼音连起来。

| | | |
|---|---|---|
| (1) 吃饭 | a. chǎo cài |
| (2) 早饭 | b. hē jiǔ |
| (3) 午饭 | c. hēzuì |
| (4) 煮肉 | d. zǎofàn |
| (5) 晚饭 | e. ài chī |
| (6) 炒菜 | f. wǔfàn |
| (7) 爱吃 | g. zhǔ ròu |
| (8) 喝酒 | h. chī fàn |
| (9) 喝醉 | i. wǎnfàn |


（三）根据拼音写中文。

(1) Míngming měitiān zài jiā chī fàn.

　　_____。

(2) Tā ài chī ròu, yě ài hē jiǔ.

　　_____。

(3) Māma wǎnshang zhǔ mǐfàn, hái chǎo yángròu.

_____,_____。

(4) Jīntiān wǒ xiǎng chī diǎnxin.

_____。

（四）根据所给的词语用中文写出一天的食谱。

早饭：

| 面条　面包　米饭　点心 |
| --- |
| 海鲜　鸡肉　牛肉　猪肉　鱼　鸡蛋 |
| 咖啡　茶　牛奶 |
| 果汁　汽水　酒 |
| 水果 |

午饭：

晚饭：

（五）根据练习4说说你今天的食谱。

（六）把下面的两组话重新组合成一个对话，并表演出来。

| （1）你想吃什么？ | a. 我爱吃鱼。 |
| --- | --- |
| （2）不要水果吗？ | b. 我不爱吃猪肉。 |
| （3）喝什么？ | c. 喝果汁吧。 |
| （4）除了鱼以外，还吃什么？ | d. 我不怎么清楚。 |
| （5）这里的鸡肉比牛肉更好。 | e. 我不要鸡肉。 |
| （6）试试猪肉吧。 | f. 我还要牛肉，牛肉比猪肉好吃。 |
| （7）你想吃鱼吗？ | g. 我要苹果。 |

例：(1) → d → (6) → b → (7) ……

（七）朗读并翻译。

(1) 今天是我的生日，午饭我们到饭店去吃。

(2) 爸爸问我要什么菜，我要了牛肉。

(3) 晚饭我们在家里吃，妈妈给我做了我喜欢的鱼。

(4) 我有很多朋友送的礼物，今天我高兴得不得了。

## 附：练习答案

（一）练习1

(1) 正　(2) 误　(3) 正　(4) 误　(5) 误　(6) 误　(7) 正　(8) 误

（二）练习3

(1) 明明每天在家吃饭。

(2) 他爱吃肉，也爱喝酒。

(3) 妈妈晚上煮米饭，还炒羊肉。

(4) 今天我想吃点心。

（三）练习6（建议答案）

(1)→ d → (6)→ b → (7)→ a → (4)→ f → (5)→ e → (3)→ c → (2)→ g

 **三、语言点与背景知识提示**

（一）也……也……

"也……也……"表示两种动作或状态同时存在，"也"后一般用动词和动词词组。比如：

> 我也吃肉也吃菜。

> 他也会英语也会法语。

> 爸爸也喜欢咖啡也喜欢茶。

（二）主谓结构的短语做定语

在汉语里，主谓短语可以做定语，主谓结构的短语在做定语时，它的后面要用"的"，比如：

> 他炒的菜不好吃　我们住的地方很远　明明写的字真漂亮

> 我们喜欢她做的点心　我穿了妈妈买的衣服　我没听他说的话

（三）好＋动词

我们在第一册第21课学过"好看"。"好＋动词"可以表示事物给感官和心理带来的愉悦，这类用法中的动词只限于表示五官感觉和心理感受的词，比如：

> 味觉：好吃　好喝

> 视觉：好看

> 听觉：好听

> 嗅觉：好闻

> 心理感受：好玩

（四）中国菜

中国的饮食经过了几千年的演变和发展，到今天按照各地饮食习惯和食物的条件，形成了各地不同的风味，我们介绍其中有代表性的四种：

鲁菜（山东菜）：因为山东靠近海洋，以海味菜见长。传入北京以后，进入宫廷，与其他风味相融合，形成了宫廷菜。代表菜是烤鸭，其他的有燕窝、鱼翅等等。

淮扬菜（江苏菜）：淮扬苏州一带物产丰富，富庶繁华，称鱼米之乡，因此淮扬菜的制作讲究富丽，刀工精细，色彩鲜丽，饭菜保持原味。

川菜（四川菜）：家常气息浓厚，雅俗共赏。调味多种多样，鲜、香、麻、辣，尤以风味小吃著称。

粤菜（广东菜）：因本地自古为海外通商口岸，在饮食方面受各国各地影响比较大，食物范围比较广泛，其中以生猛海鲜和早餐小吃最有特点。

## Chinese Cuisine

China's cuisine has undergone several thousand years of evolution and development. According to different eating and drinking habits, and the availability of food in different places, different special flavours have developed in different areas of the country. Here we introduce the four representative styles:

Lu Cuisine (Shangdong Cuisine): Because Shandong is close to the sea, people there are especially good at making seafood. After being introduced in Beijing and entering the imperial court, Lu Cuisine was combined with other styles to create Imperial Court Cuisine. The representative dish is roast duck, and other dishes include bird's nest and shark's fin.

Huaiyang Cuisine (Jiangsu Cuisine): The area around Suzhou, located to the south of the Huai River, is so populous, flourishing, and rich in produce that it is often called the "land of plenty". Huaiyang Cuisine is particular about the food being ornately decorated, with meticulous knife work and splendid colours, all the while maintaining the original taste of the food.

Chuan Cuisine (Sichuan Cuisine): Chuan Cuisine has a thick, home-style flavours that suits both refined and popular tastes. Fresh, fragrant, numbing and hot, with a variety of seasonings and flavours, it is especially known for its tasty snacks.

Yue Cuisine (Guangdong Cuisine): Because Guangdong was for so long a foreign treaty port, Yue Cuisine has been influenced by different countries and places, and the range of different foods is quite wide. Fresh seafood and breakfast snacks are the most characteristic dishes.

# 第五单元测验

**1、听录音判断正误。**

(1)　　　(2)　　　(3)　　　(4)

(5)　　　(6)　　　(7)　　　(8)

**2、按照要求进行口头表达。**

(1) 说说一次生病的经过。

(2) 你的家人喜不喜欢运动？喜欢什么运动？

(3) 你爱吃什么？不爱吃什么？

**3、朗读。**

　　昨天我看了一个钟头电视。电视里说，要是常常运动，不吃太多的肉，身体就会好。我现在很胖，也常常感冒，我想试试游泳，也想跟爷爷一起打太极拳。

**4、根据拼音写汉字。**

(1) Bàba ài hē jiǔ, yě ài chī ròu, tā hěn pàng.

＿＿＿＿＿＿，＿＿＿＿＿＿，＿＿＿＿＿。

(2) Wǒ de jiǎo téng, zǒu lù kùnnan, nǐ kěyǐ bāngzhù wǒ ma?

＿＿＿＿＿＿，＿＿＿＿＿＿，＿＿＿＿＿＿＿？

(3) Wǒ gēn māma zài huāyuán li zǒule yí ge zhōngtóu, wǒ èle,

＿＿＿＿＿＿＿＿＿＿＿＿，＿＿＿＿，

māma xiān huí jiā gěi wǒ zhǔ fàn.

＿＿＿＿＿＿＿＿＿＿。

**5、翻译。**

(1) 把英文翻译成中文。

a. Do you like to drink tea?

b. I love to eat what mother cooks.

c. I've never been to China.

d. My health is improving.

(2) 把中文翻译成英文。

a. 我的胃疼得不得了。

b. 我每天做两个钟头的作业。

c. 我家有两个宠物,一只猫,一只狗。

d. 我常常帮助父母做家务。

**6、参考下面的词语,说说你现在身体的状况,并说明原因。**

高／矮　　胖／瘦　　好　　病

(不) 运动　　(不) 爱吃……　　(不) 爱喝……

# 第五单元测验部分答案

**1、听录音判断正误。**

(1) 昨天晚上我工作到十二点才睡觉,现在背很疼。

(2) 我的牙齿疼得很,我不吃饭了。

(3) 我伤风了,咳嗽,可是不发烧。

(4) 他很瘦,可是不矮。

(5) 爸爸很高,也很胖。

(6) 我喜欢奶奶煮的牛肉。

(7) 哥哥不爱喝茶,也不爱喝咖啡。

(8) 他工作得很晚,现在要休息。

答案:

(1)误　(2)正　(3)误　(4)正　(5)误　(6)正　(7)误　(8)误

**4、根据拼音写汉字。**

(1) 爸爸爱喝酒，也爱吃肉，他很胖。

(2) 我的脚疼，走路困难，你可以帮助我吗？

(3) 我跟妈妈在花园里走了一个钟头，我饿了，妈妈先回家给我煮饭。

# 第十六课　熊猫可爱极了

## 教学目标

**交 际 话 题**：周末。

**语 言 点**：我和朋友去动物园看熊猫了。

我们去的时候，熊猫开始表演了。

高兴地跑过来。

站起来。

**生 词**：动物园　熊猫　地　过来　站　起来

市场　明信片　生病　生气　们

**汉 字**：熊　猫　站　信　演　候

 **一、基本教学步骤及练习要点**

（一）导入：本课的交际话题为"周末"，即谈周末的活动。本课选取了"去动物园看熊猫"的情景。教师在导入时，可以先让学生谈谈他们周末时的活动，也可以适当提问，如：你周末时去动物园吗？在动物园你看了什么？你喜欢什么动物？你知道中国的动物吗？你知道熊猫吗？你看过熊猫吗？

（二）读生词，教师可以让学生先看生词表，然后领读，注意纠正学生的发音。

（三）学习课文：可以由教师朗读课文，让学生听，听后教师提问：周末"我"和朋友去了哪儿？他们看了什么？孩子们高兴吗？看表演的人多不多？后边的孩子怎么看表演？回家的时候，我去做什么了？朋友喜欢熊猫吗？学生回答问题后，可以让学生默读课文，然后由教师领读。

（四）做练习1，熟悉本课的重点词语。

（五）做练习2，这是一个听力练习题，要求学生在听录音的同时判断每个句子的正误，目的在于让学生从听觉的角度进一步熟悉课文，提高听力理解能力。

（六）讲解本课语法点"动词＋宾语＋了"（参见本课"语言点和背景知识提示1"）：

昨天我们踢足球了。

我给妈妈打电话了。

（七）讲解本课语法点"形容词＋地＋动词"（参见本课"语言点和背景知识提示2"）：

高兴地跑过来

（八）讲解本语法点"动词＋趋向补语Ⅰ"（参见本课"语言点和背景知识提示3"）：

站起来
跑过来

（九）做练习3，这是一个替换练习，目的在于巩固本课的主要句型和语法点。

（十）做练习4，这是一个翻译练习，请教师首先让学生朗读，然后再做翻译练习；完成翻译练习之后，还可以让学生做复述练习，在复述这些句子时，最好不要让学生看书。

（十一）做练习5，这是一个看图说话练习，共有两幅图片，内容与课文的描述基本一致，在图片的标注框内，提供了参考词汇，让学生根据对课文句型的记忆，用提供的词语把看到的图片描述出来，激活其在本课学习的汉语知识。学生描述的句型不限，长度不限，鼓励学生创造性地使用汉语。

（十二）做练习6，书写汉字。

（十三）做练习7，语音练习，这是中国魏晋时代的一首著名诗歌，作者为曹植。


**附：录音文本与练习答案**

练习2

(1) 我们城市的动物园里有两只熊猫。

(2) 星期六，我们去看熊猫了。

(3) 我和朋友买了很多明信片。

(4) 我们在市场买明信片。

(5) 我的朋友喜欢熊猫。

(6) 我们去动物园的时候，熊猫开始表演了。

(7) 熊猫表演的时候，孩子们很高兴。

(8) 熊猫可爱极了。

答案：(1)×　(2)√　(3)√　(4)√　(5)×　(6)×　(7)×　(8)×

 **二、练习与课堂活动建议**

\* **练习**

（一）根据课文判断正误。

(1) 我们城市的动物园里有一只熊猫。（ × ）

(2) 星期一，我和朋友去动物园看熊猫了。（　）

(3) 我们去的时候，熊猫开始表演了。（　）

(4) 看表演的人很多。（　）

(5) 熊猫很可爱。（　）

(6) 孩子们很生气。（　）

(7) 我和朋友去市场买熊猫的明信片。（　）

(8) 我的朋友不喜欢熊猫。（　）

107

（二）给下列词语注拼音并朗读。

(1) 去动物园　　　_____

(2) 看熊猫　　　　_____

(3) 跑过来　　　　_____

(4) 后边的孩子　　_____

(5) 站起来　　　　_____

(6) 去市场　　　　_____

(7) 明信片　　　　_____

(8) 喜欢熊猫　　　_____

（三）看图说出汉语词语。

(1)　　(2)　　(3)　　(4)

(5)　　(6)　　(7)　　(8)

(9)　　(10)

（四）看图做对话。

(1)

qù nǎr le
……去哪儿了
yǒu shénme?
……有什么？

qù dòngwùyuán
……去动物园
yǒu xióngmāo biǎoyǎn
……有熊猫表演

108

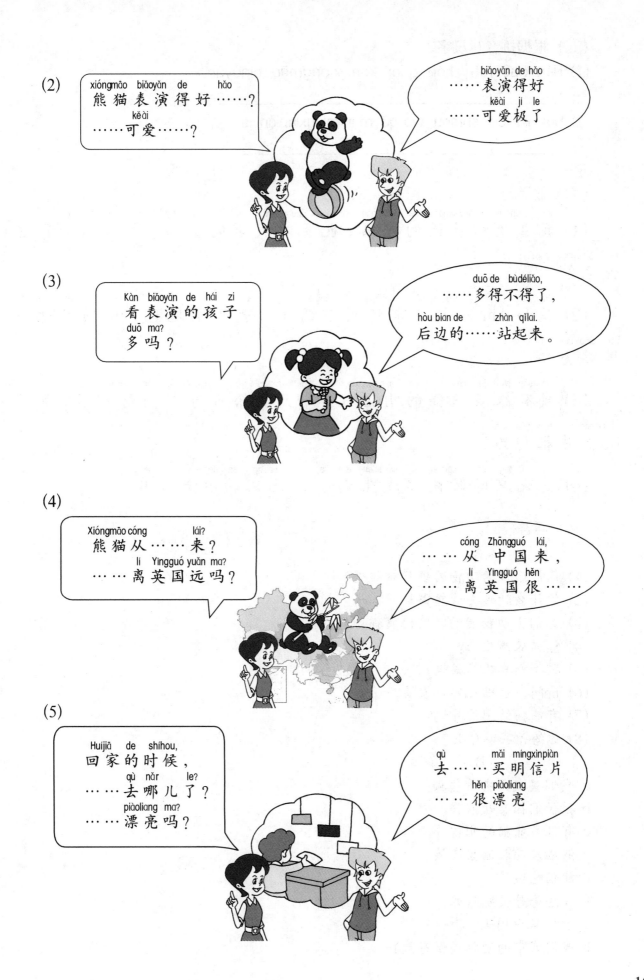

（五）根据拼音写汉字。

(1) Hěn duō rén zhàn qǐlái kàn xióngmāo biǎoyǎn.

_____。

(2) Huí jiā de shíhou, wǒ qù mǎi míngxìnpiàn le.

_____，_____。

（六）翻译句子。

(1) 我喜欢动物园的熊猫，也喜欢我家的小猫。我家的小猫也会表演。

(2) 我和Ann一起去市场买东西了，我买了地毯，中国的地毯很漂亮。

(3) 我有很多熊猫的明信片，昨天我给哥哥写明信片了，那张明信片很好看。

(4) 去北京的时候，我生病了，北京的冬天太冷了。

（七）问答搭配。

A

(1) 你们城市的动物园里有熊猫吗？
(2) 你什么时候去看熊猫？
(3) 你们去动物园的时候，熊猫做什么了？
(4) 熊猫从哪儿来？
(5) 孩子们喜欢熊猫吗？
(6) 请问，熊猫在哪儿表演？
(7) 有熊猫的明信片吗？
(8) 你给谁买明信片？

B

a 我们星期六去看熊猫。
b 孩子们很喜欢熊猫。
c 有很多熊猫的明信片。
d 熊猫在动物园里表演。
e 熊猫吃饭了。
f 我给哥哥买明信片。
g 熊猫从中国来。
h 我们城市的动物园里有熊猫。

附： 练习答案

（一）练习1

(1) ×　(2) ×　(3) ✓　(4) ✓　(5) ✓　(6) ×　(7) ✓　(8) ×

（二）练习5

(1) 很多人站起来看熊猫表演。

(2) 回家的时候，我去买明信片了。

（三）练习7

(1) h　　(2) a　　(3) e　　(4) g　　(5) b　　(6) d　　(7) c　　(8) f

＊　课堂活动建议

把学生分成小组，每个小组画一张熊猫的明信片，说说熊猫身上的颜色。

## 三、语言点与背景知识提示

（一）用在句尾，表示确定语气的"了"

在本套书第二册第15课，我们已经学过了汉语中用在句尾表示变化的"了"，如：

　　我感冒了。

在本课，我们学习的也是用在句尾的"了"，这个"了"一般用在"主语 ＋ 动词 ＋宾语"结构后，表示确定的语气。如：

　　昨天我们踢足球了。

　　我们订票了，你们呢?

　　我给妈妈打电话了。

　　星期六，我跟爸爸一起去看京剧了。

　　我生日的时候，妈妈送我生日礼物了。

（二）形容词＋地＋动词

在汉语中，某些形容词加上"地"，构成"地"字短语，可以用来修饰动词，如：

　　高兴地跑过来

　　认真地说

　　慢慢地走

请注意，单音节形容词修饰动词时，一般不用"地"，如：

　　快跑

　　痛哭

　　傻笑

（三）动词＋趋向补语Ⅰ

在汉语里，动词的后面可以加上由趋向动词组成的趋向补语，趋向补语表示动作的趋向或事物发展的趋向。共有三组趋向动词,第一组只有"来"和"去"两个词;第二组包括:"上、下、进、出、回、过、起、开"等八个;第三组是由第一组"来、去"和第二组结合而成的复合趋向动词,包括:"起来、过来、上去、下来、上来、下去、进来、出去、出来、进去、回来、回去、过去"等十三个。本课我们学习"动词+复合趋向动词"的用法,如:

　　　站起来　　跑过来

汉语中相同的结构还有:

　　　爬上去　　走下来　　冲上来　　　坐下去　　　走进来

　　　跑出去　　开车回来　坐飞机回去　拿进　　　　扔过去

在后面的课文中,我们将继续学习"动词+趋向补语"的用法。


(四)……的时候Ⅱ

在本册书第4课里,我们学过了"名词+的时候"的用法,如:

　　　秋天的时候,天安门广场有很多风筝。

　　　中秋节的时候,中国人吃月饼。

　　　端午节的时候,他们赛龙舟。

本课我们学习的是"动词(+宾语)+的时候"的用法。汉语中的这一结构作时间状语,表示时间状语中的动作或行为发生时,后面句中的动作或行为也同时发生。如:

　　　回家的时候,我和朋友去市场买熊猫的明信片。

　　　坐火车的时候,我喜欢看书。

　　　踢足球的时候,下雨了。

　　　去听音乐会的时候,我买了很多中国音乐的CD。


(五)熊猫

熊猫产于中国,分布于四川省西北部、甘肃省最南部以及陕西省秦岭南麓,栖息于海拔一千五百米以上的中、高原始林中,以竹叶为主食,为食肉目中的"素食"种类。

熊猫一般体长一百二十～一百八十厘米,尾长十～十二厘米,肩宽六十～七十厘米,体重六十～七十三千克。身体肥胖,四肢粗壮。头圆、耳小、嘴部短,尾巴也很短。白色的脸上张着黑色的嘴鼻和呈八字型排列的黑眼圈,十分可爱。

大熊猫的数量稀少,为中国国家的重点保护动物。


### Pandas

Pandas are found in China, scattered over the northwest part of Sichuan, the southernmost part of Gansu, and Qinling mountains in Shanxi. Perched 1500 metres or more above altitude on the central and high plains of virgin forests, pandas eat bamboo leaves as their staple food, and so are a "vegetarian" of the carnivore order.

112

In general, pandas are 120-180 centimetres long and 60-70 centimetres wide at the shoulders, with a 10-12 cm-long tail and a weigh of 60-73 kilograms. They have a fat body, burly limbs, a round head, small ears, a small mouth, and a short tail. With a black mouth and nose on their white face, and black eye sockets forming the shape of the number eight, pandas are quite cute.

As pandas are very rare, they are one of the country's important protected animals.

# 第十七课　我们都在图书馆看书

## 教学目标

交 际 话 题：图书馆。

语 言 点：下课以后，谁都不回家。

生 词：科技　科学　阅读　以后　窗　植物
河　鸭子　桥　钟　出去　内

汉 字：植　景　技　读　河　桥

 **一、基本教学步骤及练习要点**

（一）导入：本课的交际话题为"图书馆"，选取的情景是图书馆内部及周边的环境。教师在导入时可以让学生们说说他们自己学校的图书馆，他们是不是经常去图书馆？在那里做什么？最喜欢看的是什么书籍？学校的图书馆周围漂亮吗？你认为最漂亮的图书馆在哪儿？

（二）读生词，教师可以让学生先看生词表，然后领读，注意纠正学生的发音。

（三）学习课文：可以由教师朗读课文，让学生听，听后提问：学校图书馆里的书多不多？课文中的"我"喜欢什么？他常常看什么书？"我"的中国朋友是谁？他喜欢什么？他看什么书？"我"的同学们下了课以后做什么？他们回家吗？去哪里？图书馆窗外边的风景好不好？那里有什么？图书馆几点开？Ａ出去看什么？现在几点了？

（四）做练习1，熟悉本课的重点词语。

（五）做练习2，这是一个听力练习题，要求学生在听录音的同时判断每幅图片的内容与磁带上的句子内容是否相符，目的在于让学生从听觉的角度进一步熟悉课文，提高听力理解能力。

（六）讲解本课语法点：谁都……

下课后，谁都不回家。

李小龙很有名，谁都知道他。（参见本课"语言点和背景知识提示1"）

（七）做练习3，这是一个替换练习，目的在于巩固本课的主要句型和语法点。

（八）做练习4，这是一个翻译练习，请教师首先让学生朗读，然后再做翻译练习；完成翻译练习之后，还可以让学生做复述练习，在复述这些句子时，最好不要让学生看书。本练习中适度复现了以前学习的内容，请教师在教学中适度引导学生回忆相关的词语和句型。

（九）做练习5，这是一个看图说话练习，共有三幅图片，图片旁边的提示框中列出了参考词语和句型，要求学生运用本课所学的词汇和语法做会话，并进行适当的发挥。

（十）做练习6，书写汉字。

114

练习2

(1) 图书馆里有很多书。

(2) 我常常在图书馆里看科技书。

(3) 小明在图书馆里看中国历史书。

(4) 我们都在图书馆看书。

(5) 图书馆窗外面的风景很好。

(6) 河里有鸭子。

(1)✓　　(2)×　　(3)✓　　(4)×　　(5)✓　　(6)×

## 二、练习与课堂活动建议

＊　练习

（一）根据课文判断正误。

(1) 图书馆里有很多书吗？　（ ✓ ）

(2) 我常常在图书馆看中国历史书。（ ✗ ）

(3) 小明喜欢历史。（ ✓ ）

(4) 小明看英国历史的书。（ ✗ ）

(5) 我的同学们都喜欢去图书馆。（ ✓ ）

(6) 下课后，我的同学都回家了。（ ✓ ）

(7) 图书馆外面的风景很漂亮。（ ✓ ）

(8) 图书馆外面的河里有鸭子。（ ✓ ）

（二）给下列词语注拼音并朗读。

(1) 喜欢科学　　_____

(2) 科技书　　　_____

(3) 中国同学　　_____

(4) 中国历史　　_____

(5) 下课以后　　_____

(6) 不回家　　　_____

(7) 河旁边　　　_____

(8) 出去　　　　_____

（三）看图说出汉语词语。

(1)　　　　　　(2)　　　　　　(3)　　　　　　(4)

 (5)     (6)     (7)     (8)

（四）看图回答问题。

Tā kàn shénme shū?
(1) 他看什么书？

Tā de shūzhuō shang yǒu shénme?
他的书桌上 有什么？

Xià kè yǐhòu, tāmen huíjiā ma?
(2) 下课以后，他们回家吗？

Tāmen qù nǎr?
他们去哪儿？

Shūjià shangyǒu shénme shū?
(3) 书架上有什么书？

Nǐ xǐhuan shénme shū?
你喜欢什么书？

Huāyuán li yǒu shénme?
(4) 花园里有什么？

Huāyuán pángbiān yǒu shénme?
花园旁边有什么？

（五）根据拼音写汉字。

(1) Xià kè yǐhòu, wǒ chángcháng qù túshūguǎn yuèdú kējì shū.

＿＿＿＿＿＿，＿＿＿＿常 常＿＿＿＿＿＿＿＿＿＿＿＿。

(2) Hé shàng yǒu qiáo, hé pángbiān yǒu zhíwù, fēngjǐng zhēn hǎo!

＿＿＿＿＿＿＿，＿＿旁＿＿＿＿＿＿，＿＿＿＿＿＿＿！

（六）翻译。

来看看我们的图书馆吧。我们的图书馆虽然很小，可是书都很有意思，有中文书、法文书、德文书。图书馆里有很多地图，有英国地图、中国地图、日本地图，还有亚洲地图。图书馆里有电脑，我常常来看互联网上的新闻，也看朋友们的电子邮件。我的朋友小红是中国人，她常常给我写汉语信，今天我要来看看有没有她的信。

（七）问答搭配。

A

(1) 你常常去图书馆吗？

(2) 你们的图书馆书多吗？

(3) 你喜欢看什么书？

(4) 下课以后，你的同学们去哪儿？

(5) 图书馆外面的风景好吗？

(6) 河里有什么？

(7) 图书馆里有地理书吗？

(8) 科技书有意思吗？

B

a 我的同学们都去图书馆。

b 图书馆外面的风景很漂亮。

c 我常常去图书馆。

d 图书馆里有地理书。

e 我喜欢看历史书。

f 科技书很有意思。

g 我们的图书馆里书很多。

h 河里有鸭子。

附：练习答案

练习5

(1) 下课以后，我常常去图书馆阅读科技书。

(2) 河上有桥，河旁边有植物，风景真好！

* 课堂活动建议

自己的图书馆：

把学生分成若干小组，每个小组画两张图画，分别是图书馆的内景和从窗户望出去的风景，看看谁画的图书馆里书最多，谁画的图书馆外面的风景最漂亮。然后每个小组用汉语把自己的图书馆描述出来。

 三、语言点与背景知识提示

（一）谁都……

本课我们学习"谁＋都"的用法，"谁"是一个表示任指的代词，指任何人，"表示任指的代词＋都"表示所说的事情没有例外，如：

李小龙很有名，谁都知道他。

117

这个字很难，谁都不会写。

下雨了，谁都不想去打网球。

汉语中的其他疑问代词也可以表示任指，如：

他病了，什么都不想吃。

你来点菜吧，什么都可以。

在以后的课文中，我们会逐步学习这些用法。

（二）中国国家图书馆

中国国家图书馆已经有将近一百年的历史了，一九四九年更名为北京图书馆。一九九八年十二月十二日，更名为国家图书馆，对外称中国国家图书馆。一九八七年七月一日，新馆在北京西郊落成，占地十四公顷，建筑面积十七万平方米，居世界图书馆第四，是亚洲图书馆之最。

国家图书馆设有三十多个阅览室，阅览座位三千个，现在每天接待读者一万多人次，实行三百六十五天全年开放。

中国国家图书馆的网址：http//www.nlc.gov.cn

## The Chinese National Library

The Chinese National Library has a history of nearly 100 years, having changed its name to the Beijing Library in 1949. On December 12th, 1998, its name was changed again to the National Library, and it is known as the Chinese National Library to the outside world. Construction of the new building, located in the west of Beijing, was completed on July 1st, 1987. It occupies 14 hectares and has a surface area of 170,000 square metres, making it the fourth largest library in the world, and the largest in Asia.

The National Library has over 30 reading rooms and 3000 seats. Currently it receives about 10,000 people each day, and is open 365 days a year.

The website of the Chinese National Library is: http://www.nlc.gov.cn

# 第十八课　我们都跑上山去

## 教学目标

交　际　话　题：爬山。

语　言　点：北边的山跟西边的山一样高。
　　　　　　跑上山去。

生　　　词：爬山　太阳　口渴　庙　天空
　　　　　　星星　云　打雷　下雨　西(边)
　　　　　　下(边)　森林　快　山

汉　　　字：爬　山　森　林　云　雷

　一、基本教学步骤及练习要点

（一）导入：本课的交际话题为"爬山"。教师在导入时可以让学生谈谈他们平时是不是喜欢爬山，去哪儿爬山？爬得快吗？爬山的时候天气怎么样？

（二）读生词，教师可以让学生先看生词表，然后领读，注意纠正学生的发音。

（三）学习课文：可以由教师朗读课文，让学生听，听后提问：课文中的"我"今天去做什么了？今天天气好吗？他们爬山爬得快吗？中午的时候他们做什么了？他们在哪里休息、吃饭？晚上的时候天气好吗？对话中的 A 常常去爬山吗？他去哪里爬山？B呢？城市西边的山高吗？北边呢？

（四）做练习 1，熟悉本课的重点词语。

（五）做练习 2，这是一个听力练习题，要求学生在听录音的同时判断每幅图片的内容与磁带上的句子内容是否相符，目的在于让学生从听觉的角度进一步熟悉课文，提高听力理解能力。

（六）讲解本课语法点：

动词＋趋向补语Ⅱ（参见本课语言点和背景知识1）

　　爬上去

　　走下来

　　跑上山去

（七）讲解本课语法点：

A 和／跟 B 一样＋形容词

　　北边的山和西边的山一样高

　　我的汉语和哥哥的汉语一样好

（八）做练习 3，这是一个替换练习，目的在于巩固本课的主要句型和语法点。

（九）做练习4，这是一个翻译练习，请教师首先让学生朗读，然后再做翻译练习，完成翻译练习之后，还可以让学生做复述练习，在复述这些句子时，最好不要让学生看书。本练习中适度复现了以前学习的内容，请教师在教学中适度引导学生回忆相关的词语和句型。

（十）做练习5，这是一个连线练习，左面的a栏都是问题，右面的b栏都是回答，但是顺序与a栏不同。学生必须在读懂了a栏的问题之后，才能选择b栏的答案。

（十一）做练习6，这是一个看图说话练习，共有四幅图片，图片旁边的提示框中列出了参考词语和句型，要求学生运用本课所学的词汇和语法做会话，并进行适当的发挥。

（十二）做练习7，书写汉字。

**附：录音文本与练习答案**

练习2

(1) 今天天气不好。

(2) 我们8点开始爬山。

(3) 我们跑上山去。

(4) 我们口渴了。

(5) 我们在一个庙里吃饭。

(6) 打雷了，快要下雨了。

(7) 北边有山，没有森林。

(8) 我们跑下山来。

答案：

(1) ×　(2) ×　(3) ✓　(4) ✓　(5) ✓　(6) ✓　(7) ×　(8) ×

 **二、练习与课堂活动建议**

**\* 练习**

（一）根据课文判断正误。

(1) 爬山的时候天气很好。（×）

(2) 早上八点的时候我们开始爬山。（　）

(3) 我们走上山去。（　）

(4) 我们跑得很快。（　）

(5) 中午的时候，我们在家里休息，吃饭。（　）

(6) 晚上，我们跑下山来。（　）

(7) 晚上的时候，快要下雨了。（　）

(8) 北边的山很高，西边的山不高。（　）

（二）给下列词语注拼音并朗读。

(1) 去爬山　　_____

(2) 天气不好　_____

(3) 开始比赛　＿＿＿＿＿＿＿＿＿＿＿＿＿

(4) 山下边　＿＿＿＿＿＿＿＿＿＿＿＿＿＿

(5) 很快　＿＿＿＿＿＿＿＿＿＿＿＿＿＿＿

(6) 打雷　＿＿＿＿＿＿＿＿＿＿＿＿＿＿＿

(7) 下雨　＿＿＿＿＿＿＿＿＿＿＿＿＿＿＿

(8) 森林　＿＿＿＿＿＿＿＿＿＿＿＿＿＿＿

（三）看图片说出汉语的词语。

(1)　　　　　(2)　　　　　(3)　　　　　(4)

(5)　　　　　(6)　　　　　(7)　　　　　(8)

(10)　　　　　(11)

（四）看图回答问题。

(1) 孩子们做什么？ ……跑上……
Háizimen zuò shénme? / pǎoshàng

(2) 年轻人做什么？ ……走下……
Niánqīng rén zuò shénme? / zǒuxià

(3) 老年人做什么？ ……在河边……
Liǎonián rén zuò shénme? / zài hé biān

(4) 小狗、小猫做什么？ ……在草地上……
Xiǎo gǒu、xiǎo māo zuò shénme? / zài cǎodì shàng

(5) 山下的商店里有什么？ ……有……，很多人……
Shān xià de shāngdiàn li yǒu shénme? / yǒu hěn duō rén

（五）根据拼音写汉字。

(1) Wǒ gēn gēge yìqǐ qù pá shān le.
___ 跟 哥哥 _____。

(2) Xià yǔ le, dǎ léi le, yún shì hēisè de, sēnlín de yánsè yě hěn piàoliàng.
_____，_____，_____ 黑_____，_____颜_____ 漂亮。

（六）翻译。

今天，小明和哥哥去爬山了。他们六点开始爬山，天气很好，
天空没有云，他们跑上山去，跑得很快。那是个小山，不高，可是有森林，有小河，
风景很漂亮，他们很喜欢那个地方。他们在河旁边休息。休息以后，他们走下山去。他
们在山下的汽车站坐汽车回家。

### 附：练习答案

（一）练习1

(1) × (2) ✓ (3) × (4) ✓ (5) × (6) × (7) ✓ (8) ×

（二）练习5

(1) 我跟哥哥一起去爬山了。

(2) 下雨了，打雷了，云是黑色的，森林的颜色也很漂亮。

### * 课堂活动建议

去爬世界上最高的山：

把学生分成若干组让他们设想自己正在准备去爬世界上最高的山——喜马拉雅山。
鼓励他们想象，喜马拉雅山上有什么？森林多吗？山上冷不冷？他们怎么上山？能不能
跑上去？谁第一个到山顶？下雨的时候怎么办？打雷的时候怎么办？他们怕吗？

122

**三、语言点与背景知识提示**

（一）A 跟 B 一样＋形容词

在本套书里，我们已经学过了多种形式的比较句句型，见本册书第四课语言点1。本册书第12课我们又学习了"A 跟 B 一样＋动词（＋动词＋宾语）"的形式，如：

他跟我一样喜欢上网。

在本课，我们继续学习"A 跟 B 一样＋形容词"形式的比较句，在这个句型中，A 跟 B 在程度上是基本相同的，如：

香港跟广州一样热。

这个山跟那个山一样高。

我的汉语跟哥哥的汉语一样好。


（二）动词＋趋向补语 II

在本单元第16课里，我们学习了"动词＋起来／过来"构成的趋向补语，如：他站起来；孩子们跑过来。在本课，我们继续学习"动词＋趋向补语"的用法。

在汉语里，如果动词后面既有复合趋向补语又有处所宾语时，要把处所宾语放在复合趋向补语的中间，如：

爬上去　　　爬上山去

走进来　　　走进教室去

其他例如：

跑下楼来

走回教室去

请注意，表示处所的宾语一般在复合趋向补语的中间，不能放在复合趋向补语的后面。下面的说法是错误的：

×　爬上去山

×　走进去教室


（三）重阳节

中国农历九月初九，称为重阳节。

重阳节的起源，最早可以推到汉初，至今已有两千多年的历史了。重阳节民间有登高的风俗，所以又叫"登高节"。

在汉语里，"高"有高寿的意思，因此人们认为"登高"可以长寿，所以，现在中国人也把重阳节称为"老人节"或"敬老节"，意为祝愿老人长寿健康。

## Chongyang Festival (Double Ninth Festival)

Chongyang Festival is on the ninth day of the ninth month of the Chinese lunar calendar. The origins of Chongyang Festival can be traced back to the early Han, giving it a history of over 2000 years. There is a custom of hiking up mountains on Chongyang Festival, so it is sometimes also called the "Ascending Heights Festival" (登高节).

In Chinese, the character gao (高), which generally means "high", can also mean "long life", so people think that "ascending heights" can lead to a long life. Therefore, people also sometimes call Chongyang Festival the "Respecting the Old Festival", with the meaning of wishing the elderly a long and healthy life.

# 第六单元测验

**1、听录音判断正误。**

(1) (　　)  (2) (　　)

(3) (　　)  (4) (　　)

(5) (　　)  (6) (　　)

(7) (　　)  (8) (　　)

(9) (　　)  (10) (　　)

**2、回答问题：**

(1) 你看过熊猫吗？你看过熊猫表演吗？你喜欢熊猫吗？

(2) 你常常去图书馆看书吗？在图书馆，你喜欢看什么书？

(3) 下课以后，你做什么？你的同学们做什么？

(4) 你的城市外面有山吗？你喜欢爬山吗？你爬得快吗？

(5) 爬山的时候，你在哪儿休息？休息的地方风景漂亮吗？

**3、朗读。**

(1) 看熊猫表演的人越来越多，后边的孩子都站起来了。

(2) 我跟朋友一起去动物园看熊猫，朋友跟我一样喜欢熊猫。

(3) 我家在郊区，我家对面有山，我每天早上都去爬山。

(4) 城市东边的山跟南边的山一样高，风景都很漂亮。

4、写汉字。

    (1) xióngmāo   _____

    (2) zhíwù   _____

    (3) shíhou   _____

    (4) sēnlín   _____

    (5) míngxìnpiàn   _____

5、翻译。

    (1) 汉译英

    ① 我家的小猫会表演，今天吃晚饭的时候，小猫给我们表演了。

    ② 今天是星期六，谁都没有课，我们班的同学一起去打网球。

    ③ 看足球比赛的时候，很多人高兴地站起来，运动员们踢得真好！

    ④ 我常常做运动，身体很好，爬山的时候，我跑上山去。

    ⑤ 今天跟昨天一样热，我们去游泳吧。

    (2) 英译汉（选择英文句子的号码填进括号内）

    ① This city is as beautiful as that city.

    ② I love reading science and technology books.

    ③ The panda in our zoo was from China.

    ④ It's thundering, it's going to rain soon.

    ⑤ I am thirsty, let's have a break.

    (   ) Wǒ xǐhuan kàn kējì shū.

    (   ) Zhè ge chéngshì gēn nà ge chéngshì yíyàng piàoliang.

    (   ) Dǎléi le, kuàiyào xiàyǔ le.

    (   ) Wǒmen dòngwùyuán de xióngmāo cóng Zhōngguó lái.

    (   ) Wǒ kǒu kěle, wǒmen xiūxi ba.

6、阅读理解。

    Xīngqīliù, gēge kāi chē qù pá shān le. Wǒ gēn gēge yìqǐ qùle. Wǒmen qùle chéngshì xibian, yīn-
星期六，哥哥开车去爬山了。我跟哥哥一起去了。我们去了城市西边，因

wèi shì jiāoqū, suǒyǐ yǒu sēnlín, yě yǒu shān. Tiānqì hěn hǎo, bù lěng yě bú rè. Wǒmen pǎoshàng shān qù,
为是郊区，所以有森林，也有山。天气很好，不冷也不热。我们跑上山去，

zhàn zài shān shang kàn Chángchéng, Chángchéng hěn piàoliang. Wǒmen pá shān yǐhòu, qùle Chángchéng. Chángchéng shang yǒu
站在山上看长城，长城很漂亮。我们爬山以后，去了长城。长城上有

126

hěn duō rén,　Wǒmen zài Chángchéng shang xiūxi,　kàn lǜsè de sēnlín. Wǎnshang, wǒmen cóng Chángchéng zǒu
很多人，我们在 长城 上 休息，看绿色的森林。晚上，我们从 长 城 走

xiàlai,　tiānkōng yǒu hěn duō xīngxing,　zhēn piàoliang!
下来,天空有很多星星，真漂亮!

回答问题：

Xīngqīliù,　wǒ hé gēge qù zuò shénme?
(1) 星期六，我和哥哥去做什么?

Wǒmen qùle nǎr?
(2) 我们去了哪儿?

Tiānqì zěnmeyàng?
(3) 天气怎么样?

Wǒmen zhàn zài shān shang kàn shénme?
(4) 我们站在山 上 看什么?

Pá shān yǐhòu,　wǒmen qùle nǎr?
(5) 爬山以后，我们去了哪儿?

Chángchéng shang rén duō ma?
(6) 长 城 上人多吗?

Wǒmen zài nǎr xiūxi?
(7) 我们在哪儿休息?

Wǎnshang,　tiānkōng yǒushénme?
(8) 晚上，天空 有什么?

# 第六单元测验部分答案

## 1、听录音判断正误。

录音文本：

(1) 动物园里有两只熊猫。

(2) 我去市场买明信片了。

(3) 孩子高兴地跑过来。

(4) 下课后，谁都不回家，都在图书馆看书。

(5) 我在图书馆看历史书。

(6) 图书馆外面有小河。

(7) 狗跟猫一样大。

(8) 今天阴天，天空没有太阳。

(9) 明明跑上山去。

(10) 我们休息、吃饭。

答案：

(1) ✓　　(2) ✓　　(3) ✕　　(4) ✓　　(5) ✕　　(6) ✕　　(7) ✕

(8) ✕　　(9) ✓　　(10) ✓

**2、回答问题。**

这是一个口试题，要求教师提问，学生根据学过的课文或生活中的实际情况回答。请教师根据考试时间长短做适当取舍。

**4、写汉字。**

(1) 熊猫

(2) 植物

(3) 时候

(4) 森林

(5) 明信片

**5、翻译。**

英译汉 ②，①，④，③，⑤。

**6、阅读理解。**

要求让学生先读短文，然后根据短文的内容回答问题。口头回答即可。

# 第十九课　有什么新闻

## 教学目标

**交际话题**：新闻。

**语言点**：您有没有看今天的电视？
他什么都知道。

**生　词**：
大学　访问　工资　地球
毒品　美洲　抽烟　印度
结婚　风俗　非洲　知道

**汉　字**：访　度　洲　抽　烟　知

 **一、基本教学步骤及练习要点**

（一）问学生是否喜欢看新闻或听新闻，昨天有没有看新闻，有什么新闻要告诉大家，也可以老师准备一两条与课文有关的新闻告诉学生，引入本课内容，学习生词。

（二）学习课文，讲解课文和主要句型，并通过朗读使学生熟悉本课词语、句型和内容。"美洲、非洲"可以结合以前学过的"亚洲、欧洲"。"有没有＋动词"可以结合第二册第21课的"动词＋宾语＋没有"。（参见本课语言点说明）

（三）做练习1，把汉语和英语搭配在一起，加强对词语的认读理解。

（四）做练习2，听后给图标号，主要听辨本课的主要词语。

（五）做练习3，用所给的词语替换对话或句子中的相应部分，目的是熟悉本课的句型：

(1) 有没有＋动词／动词词组

(2) 什么＋都

并复习：越来越……

（六）做练习4，翻译，进一步复习和掌握本课词语和句型。

（七）做练习5，看图说话，可以从一两句开始，每个人轮流说，最后再组成语段。训练表达能力。

（八）发音练习：唐代王维的《相思》。

（九）根据学生水平，可选做教师用书中的练习。其中练习1根据课文内容判断正误；练习2、3巩固本课的词语和搭配用法，熟悉词语的发音和意义；练习4替换练习并回答，练习使用课文中的句型，根据各人情况自由表达；练习5造句，可两人一组，一问一答;练习6搭配练习，训练如何应答;练习7写汉字;练习8、9翻译和表达，单句翻译后可组成一段话，根据学生水平，让学生模仿表达。

附：录音文本与答案

(一) 练习1

(1) c

(2) f

(3) b

(4) h

(5) a

(6) d

(7) e

(8) g

(二) 练习2

(1) 我们地球的污染问题越来越大。

(2) 明明的爷爷每天都抽烟。

(3) 我去看非洲艺术展览，你去吗？

(4) 今天的国际新闻说了毒品问题。

(5) 姐姐快要结婚了，我要送她一个礼物。

(6) 我不知道印度的结婚风俗。

 二、练习与课堂活动建议

\* 练习

(一) 根据课文判断正误。

(1) 我很喜欢看新闻。（　　）

(2) 我没看今天的本地新闻。（　　）

(3) 有一个美国的大学校长要来访问。（　　）

(4) 现在工人的工资最高。（　　）

(5) 国际新闻是美洲和欧洲问题。（　　）

(6) 中学里抽烟的学生越来越多。（　　）

(7) 博物馆要有一个印度结婚风俗展览。（　　）

(8) 小海什么都知道。（　　）

（二）把拼音和相应的词语连在一起。

在外边抽烟

非洲风俗

毒品问题

地球是我们的家

什么都知道

fǎngwèn Ōuzhōu
shénme dōu zhīdào
zài wàibian chōu yān
zài Yìndù jiéhūn
Měizhōu de sēnlín
dìqiú shì wǒmen de jiā
gōngzī yuèláiyuè gāo
dúpǐn wèntí
Fēizhōu fēngsú

访问欧洲

美洲的森林

工资越来越高

在印度结婚

（三）把相应的中文和配图连在一起。

Qǐng bú yào chōu yān.
(1) 请不要抽烟。

Xiàozhǎng yào dào Fēizhōu qù fǎngwèn.
(2) 校长要到非洲去访问。

Yàoshi wǒmen de dìqiú méi yǒu wūrǎn jiù tài hǎo le.
(3) 要是我们的地球没有污染就太好了。

Xiànzài yǒu yí ge Yìndù jiéhūn zhǎnlǎn.
(4) 现在有一个印度结婚展览。

Tā shénme dōu bù zhīdào.
(5) 他什么都不知道。

Wǒ qùguo Ōuzhōu、 Yàzhōu、 Fēizhōu, kěshì méi qùguo Měizhōu.
(6) 我去过欧洲、亚洲、非洲，可是没去过美洲。

131

（四）替换问句并自由回答。

(1) A：你有没有看<u>国际新闻</u>？新闻说了什么？

本地新闻

体育新闻

科技新闻

B：我看了，新闻说……

(2) A：<u>一个中国的中学校长</u>要来我们学校访问，你们准备了什么？

一个有名的演员

一个非洲艺术队

B：我们欢迎他／他们到我们学校来，我们准备了……

(3) A：你喜欢看什么<u>电视节目</u>？

做　　运动

吃　　东西

看　　书

B：什么都喜欢，最喜欢……

（五）用所给的词组造句并回答。

| 词　语 | 例　句 |
| --- | --- |
| 有没有，看 | 你有没有看今天的电视节目？ |
| (1)　有没有，听 | |
| (2)　有没有，打 | |
| (3)　有没有，送 | |
| (4)　有没有，写 | |
| (5)　有没有，看过 | |
| (6)　有没有，做过 | |
| (7)　有没有，去过 | |
| (8)　有没有，学过 | |

（六）问答搭配。

(1) 你有没有看体育新闻？      a. 是哪个国家的？

(2) 他很喜欢亚洲艺术。      b. 什么我都喜欢，最喜欢的是新闻。

(3) 图书馆里不可以抽烟。    c. 看了，美洲足球队明天来英国比赛。

(4) 新闻说，有一个非洲足球
     队要来我们城市访问。    d. 我们去外边吧。

(5) 谁知道表演什么时候开始？  e. 他要去看印度艺术展览。

(6) 你喜欢什么电视节目？    f. 你去问明明吧，他什么都知道。

（七）看拼音写汉字。

(1) Wǒmen de xiàozhǎng yǒu méi yǒu fǎngwènguo Měizhōu hé Fēizhōu?

_____?

(2) Túshūguǎn li bù kěyǐ chōu yān, nǐ zhīdào bù zhīdào?

_____?

（八）翻译。

(1) 你有没有看今天的互联网新闻？新闻说，我们的地球污染问题越来越大，我们这个城市的污染问题也很大。

(2) 互联网上的新闻很多，有欧洲的、美洲的、非洲的、亚洲的，要是你想看，什么都有。

(3) 今天的互联网上，我看到了一个印度风俗展览，有意思极了，谁都很喜欢。你有没有上网看看？

(4) 互联网也有很多问题。他们说，在互联网上，什么都买得到，还买得到毒品，这很不安全。

（九）模仿练习8，根据个人情况自由表述。

**附：练习答案**

（一）练习1

(1) ✓    (2) ✗    (3) ✓    (4) ✗    (5) ✗    (6) ✓    (7) ✓    (8) ✓

（二）练习6

(1) c    (2) e    (3) d    (4) a    (5) f    (6) b

（三）练习7

(1) 我们的校长有没有访问过美洲和非洲？

(2) 图书馆里不可以抽烟，你知道不知道？

＊  课堂活动建议

新闻发布会：让学生每人准备一条新闻向大家作介绍，要求简短，表述清楚，最后评出最有价值新闻。

 **三、语言点与背景知识提示**

（一）用"有没有＋动词"提问

我们在第二册第21课学过用"动词＋宾语＋没有"提问，如："你看广告没有？"

本课学习用"有没有＋动词（动词词组）"提问，作用与"动词＋宾语＋没有"相同，也是提问该动作是否实现或完成。如果是肯定回答，一般用"动词＋了"；如果是否定，则一般用"没有"回答，也可说成"没＋动词"。例如：

| 你有没有看今天的电视？ | 看了。 | 没有。／没看。 |
| 他有没有去看表演？ | 他去了。 | 他没有。／他没去。 |
| 你昨天有没有给我打电话？ | 我打了。 | 我没有。／我没打。 |

（二）什么＋都

我们在本册第17课学习了"谁＋都"，"谁"表示任指，包括所有的人，如"谁都不回家"。本课学习"什么＋都"，"什么"也是任指，表示所有事物和情况。如：

他什么都知道。

妈妈喜欢做饭，她什么都会做。

他病了，什么都不想吃。

（三）中国的少数民族

中国是一个统一的多民族国家，共有五十六个民族。中华民族是中国各民族的总称。其中汉族人口最多，约占全国人口的百分之九十一以上，其他五十五个民族即少数民族。如壮族、满族、回族、维吾尔族、蒙古族、藏族、苗族、白族等。除回族、满族使用汉语外，其他民族都有自己的民族语言。

各个少数民族的人口数量相差很大。人口最多的是壮族，有一千五百多万人；人口最少的是珞巴族，只有两千多人。少数民族人口数量虽然少，但是分布地区很广泛，占中国总面积的百分之六十四左右，主要分布在西北、西南、东北等地。其中云南省是少数民族最多的省份，共居住着二十一个民族。

## China's Minorities

China is a unified, multiethnic country, with 56 different ethnic groups. "Chinese" is a general term for all ethnic groups in China. The Han ethnic group has the largest population, making up approximately 91% of the population of the whole country. The other 55 ethnic groups are minorities. The Zhuang, the Manchus, the Hui, the Uighurs, the Mongolians, the Tibetans, the Miao, and the Bai are all examples of minority ethnic groups. Except for the Hui and the Manchus, they all have their own languages.

The difference in population between the various ethnic minorities is quite large. The Zhuang have the largest population with over 15 million people, while the Lhoba have the smallest population with just over 2,000 people. Despite their small populations, ethnic minorities are distributed widely across China in areas covering about 64% of China's total area. Ethnic minorities are primarily distributed across the northwest, southwest, and northeast of China. Yunnan, home to 21 different ethnic groups, is the province with the most ethnic minorities.

# 第二十课　他正在采访

## 教学目标

**交 际 话 题**：采访。

**语 言 点**：他正在采访。

我去学校的时候，他正在采访我们班的同学。

**生 词**：记者　录像机　录音机　采访　名人

零用钱　花　正在　饭馆　付　账单

**汉 字**：记　者　用　录　采　正

 **一、基本教学步骤及练习要点**

（一）问学生是否喜欢记者这个职业，有人愿意从事这项工作吗，为什么。老师可以来一个做记者示范，采访的内容就是课文中的"零用钱"问题，导入课文，学习生词。

（二）学习课文，讲解课文和主要句型，并通过朗读使学生熟悉本课词语、句型和内容。

（三）做练习1，把汉语和拼音搭配在一起，认读词语。

（四）做练习2，听后选择，训练对词语的音、义理解。

（五）做练习3，用所给的词语替换对话中或句子中的相应部分，目的是熟悉本课的句型：

（1）正在＋动词

（2）……的时候，……正在……

（3）……的时候，……

并复习：A 问 B+ 问题

（六）做练习4，翻译，进一步掌握本课词语和句型。

（七）做练习5，用所给的词语按图片讲故事，综合复习本课内容。可以用讲述的方法，也可以两人一组用对话形式。

（八）根据学生水平，可选做教师用书中的练习。其中练习1根据课文内容判断正误；练习2帮助学生进一步熟悉词语的发音；练习3看图说一句话，可以有不同的答案；练习4造句，进一步熟悉主要句型；练习5朗读并找出正确的搭配，可两人一组进行；练习6根据各人情况回答问题，复习主要句型，练习表达能力；练习7写汉字；练习8翻译。

136

（一）练习1

(1) d　　　(2) g　　　(3) b　　　(4) f　　　(5) c　　　(6) a　　　(7) h　　　(8) e

（二）练习2

(1) 他是《学校新闻》的记者。

(2) 我要买录像机和录音机。

(3) 昨天我们采访了一个本地的名人。

(4) 他问我们零用钱怎么花，我也不怎么清楚。

(5) 他们每天在饭馆吃饭。

(6) 他的家里有很多账单。

## 二、练习与课堂活动建议

\* 练习

（一）根据课文判断正误。

(1) 我是《学校新闻》的记者。（　　）

(2) 我和明明买了录像机和录音机。（　　）

(3) 我和明明每天都采访。（　　）

(4) 除了采访老师、学生，我们还采访本地名人。（　　）

(5) 我去学校的时候，明明正在采访。（　　）

(6) 每个学生都有零用钱。（　　）

(7) 学生常常花零用钱买书、看电影。（　　）

(8) 跟朋友一起吃饭，常常我付账单。（　　）

（二）把汉字和英语连在一起。

(1) 给他买录像机　　　　　a. a new tape recorder

(2) 电视新闻记者　　　　　b. have spent a lot of money

(3) 采访校长　　　　　　　c. television news journalist

(4) 一个新录音机　　　　　d. have no pocket money

(5) 在饭馆吃晚饭　　　　　e. buy him a video recorder

(6) 他正在付账单　　　　　f. interview the principal

(7) 没有零用钱　　　　　　g. have dinner in the restaurant

(8) 花了很多钱　　　　　　h. he is paying the bill

（三）根据每张图片用所给的词语说一句话。

gěi　　mǎi
给…买

jìzhě
记者

zhèngzài
正在

zhèngzài
正在

língyòngqián
零用钱

de　shíhou,　zhèngzài
…的时候，正在

（四）用所给的词语造句。

(1)

| 词　语 | 例　句 |
|---|---|
| 正在，中文书 | 他正在看中文书。 |
| 正在，足球 | |
| 正在，晚饭 | |
| 正在，风俗 | |

(2)

| 词　语 | 例　句 |
|---|---|
| 的时候，听 | 我去他家的时候，他正在听音乐。 |
| 的时候，打 | |
| 的时候，写 | |
| 的时候，看 | |

（五）问答搭配。

(1) 他请我们做这个节目的记者　　a. 听音乐、看电影。

(2) 今天我付帐单。　　　　　　　b. 马太太正在煮饭。

(3) 你们的零用钱怎么花?　　　　c. 我问了他很多问题。

(4) 采访王先生的时候　　　　　　d. 我很高兴。这是我喜欢的工作。

(5) 他跟我们一起去吗?　　　　　e. 不，他正在写作业。

(6) 马先生回家的时候　　　　　　f. 谢谢你。

（六）回答问题。

Nǐ xiǎng zuò　jìzhě ma?
(1) 你想做记者吗?

Nǐ zuì xǐhuan de gōngzuò shì shénme?　　Nǐ xiànzài jiānzhí ma?
(2) 你最喜欢的工作是什么? 你现在兼职吗?

Nǐ yǒu língyòngqián ma?
(3) 你有零用钱吗?

Shéi gěi nǐ língyòngqián?
(4) 谁给你零用钱?

Nǐ de língyòngqián zěnme huā?
(5) 你的零用钱怎么花?

Nǐ chángcháng gēn péngyou yìqǐ qù chīfàn ma? Shéi fù zhàngdān?
(6) 你常常跟朋友一起去吃饭吗? 谁付账单?


(七) 看拼音写汉字。
(1) Jìzhě lái cǎifǎng de shíhou, wǒmen zhèngzài shàng Hànyǔkè。

_____ , _____ 。

(2) Nǐ fùmǔ gěi nǐ língyòngqián ma? Nǐ de língyòngqián zěnme huā?

_____ 零 _____ 吗? _____ 零_____ ?


(八) 翻译。
(1) 李先生是本地新闻的记者,每天在城市里采访。他采访医生、工人、售货员,也采访演员、画家和名人。

(2) 因为他的零用钱不太多,所以星期二和星期天在一个饭馆兼职,一天工作五个钟头。你看,现在他正在工作。

(3) 今天是哥哥的生日,我和父母给他买了生日礼物,一个录像机和一个录音机。我们回家的时候,他正在看电视,看到了礼物,他高兴地跑过来。

(4) 我跟朋友一起去市中心,谁都买了很多东西,花了很多钱。我们去饭馆的时候,爸爸正在那个饭馆吃饭,他替我们付了账单。


附:练习答案
(一) 练习1
(1)✓　(2)×　　(3)✓　　(4)✓　　(5)✓　　(6)✓　　(7)✓　　(8)×
(二) 练习2
(1) e　(2) c　　(3) f　　(4) a　　(5) g　　(6) h　　(7) d　　(8) b
(三) 练习5
(1) d　(2) f　　(3) a　　(4) c　　(5) e　　(6) b
(四) 练习7
(1) 记者来采访的时候,我们正在上汉语课。
(2) 你父母给你零用钱吗? 你的零用钱怎么花?

＊　课堂活动建议

记者日：把学生分为4组，每一组有一天是自己的记者日，他们可以采访老师、同班同学或其他班的同学，采访内容自己确定，采访时必须用汉语，并向全班汇报采访结果。全班在周五作总结，评出优秀记者组。

 三、语言点与背景知识提示

（一）正在

　　副词"正在"用来表示动作正在发生或持续，相当于英语的现在进行时。如：

　　他正在看电视。

　　妈妈正在做晚饭。

　　我们正在上课，不能打电话。

　　我正在学习汉语，想明年去中国。

有的时候和语气词"呢"一起用，构成"正在……呢"，更强调动作正在进行。如：

　　我们正在上课呢，不能打电话。

具体用法见第24课。


（二）……的时候，……正在……

"正在"常与"……的时候"一起使用。"主谓词组＋的时候"在句子前作状语，相当于英语中的"when…"，表示前边动作发生时，后边的动作正在发生或持续，和英语的"when…，…is/are doing …"相近。但与英语用法不同，"when…"既可以用在句子的开始，也可以用在句子的后边，如可以说"When he came yesterday, I was watching TV"，也可以说"I was watching TV when he came yesterday"。但汉语中"……的时候"只能用在句子的开始，不能用在句子的后边。如：

　　他来的时候，我们正在上体育课。

　　我给他打电话的时候，他正在看电视。

　　我去学校的时候，Tom正在采访我们班的学生。


（三）《西游记》

《西游记》是中国明代的一部长篇神话小说，作者根据民间流传的唐僧取经的故事创作而成。小说描写了孙悟空、猪八戒、沙和尚护送他们的师傅唐僧前往西天取经的艰难经历。他们历经了无数的困难，战胜了众多的妖魔鬼怪，最后终于成功地取回佛经。最主要的角色孙悟空，人称美猴王，勇敢机智，身有七十二般变化，是一个神话英雄形象，他的故事老少皆知，一直为人们所传颂。根据《西游记》小说内容改编的动画片、电影、电视剧也广为人们所喜爱。

'Journey to the West'

'Journey to the West' is a long mythological novel from China's Ming Dynasty. The author based it on the folk story of a Tang priest's quest for a Buddhist sutra. The novel depicts the difficult experiences of Monkey, Pig, Friar Sand, and their master, the priest Xuanzong, as they travel to the Western Paradise in search of a Buddhist sutra. They experience countless difficulties, defeat numerous evil spirits, and finally succeed in recovering the Buddhist sutra. The main role is that of the Monkey, nicknamed the Beautiful Monkey King. He is brave, quick-witted and capable of 72 transformations. A mythical hero-figure, his story is known by both young and old, and has always been widely told. The cartoons, films and television series adapted from 'Journey to the West' are also very popular.

# 第二十一课　中文歌表演比赛

## 教学目标

交 际 话 题：表演比赛。

语 言 点：学生用中文唱。

我们班唱歌唱得比B班好。

马小姐唱歌比我唱得好。

生 词：歌 报纸 用 唱 好听 教 小姐

为什么 俱乐部 会员 信用卡

汉 字：歌 报 纸 教 姐 员

---

 **一、基本教学步骤及练习要点**

（一）问学生是否听过中文歌，有人会唱中文歌吗。老师可以放一首中文歌曲的录音，导入课文，学习生词。

（二）学习课文，讲解课文和主要句型，并通过朗读使学生熟悉本课词语、句型和内容。

（三）做练习1，把汉语和英语搭配在一起，认读理解词语。

（五）做练习2，听后选择，训练对词语的音、义理解。

（六）做练习3，用所给的词语替换对话中或句子中的相应部分，目的是熟悉本课的句型：

（1）用 + 名词 + 动词

（2）A+ 动词 + 宾语 + 动词<sub>重复</sub> + 得 + 比 +B+ 形容词

（3）A+ 动词 + 宾语 + 比 +B+ 动词<sub>重复</sub> + 得 + 形容词

（4）好听

并复习：

（1）A 请 B+ 动词／动词词组

（2）好看／好吃

（七）做练习4，翻译，进一步掌握本课词语和句型。

（八）做练习5，朗读并找出正确的应答搭配，可以两人一组进行。

（九）做练习6，根据提示讲述自己的学校生活，综合复习本课内容。可以先一句一句轮流说，然后再组合在一起。

（十）根据学生水平，可选做教师用书中的练习。其中练习1根据课文内容判断正误；练习2帮助学生进一步熟悉词语的发音；练习3看图说一句话，可以有不同的答案，训练对词语的掌握；练习4造句，进一步熟悉主要句型；练习5根据各人情况回答问题，复习主要句型，练习表达能力；练习6写汉字；练习7翻译，逐句翻译并可组成一段话，结合了以前学过的内容，有一定的难度，可以让学生根据各人情况模仿表达。

附：录音文本与答案

(一) 练习1

(1) d　(2) g　(3) f　(4) c　(5) e　(6) h　(7) b　(8) a

(二) 练习3

(1) 欢迎你到俱乐部来。

(2) 李先生喜欢看报纸。

(3) 李小姐是我们的老师。

(4) 中文歌唱得好极了。

(5) 校长请明明教我们唱中文歌。

(6) 他们都是篮球俱乐部的会员。

(三) 练习5

(1) b　(2) d　(3) a　(4) e　(5) f　(6) c

## 二、练习与课堂活动建议

\* 练习

(一) 根据课文判断正误。

(1) 今天学校有中文歌表演比赛。(　　)

(2) 报纸的记者来看比赛。(　　)

(3) 我们用英文和中文唱歌。(　　)

(4) 我们班唱歌比B班唱得好。(　　)

(5) 我们唱的中文歌很好听。(　　)

(6) 用中文唱歌很难。(　　)

(7) 老师教我们唱中文歌。(　　)

(8) 马小姐唱歌唱得很好。(　　)

(二) 把拼音和相应的词语连在一起。

唱歌唱得比他好

唱中文歌　　　　　　gē bù róngyì xué　　　　　　用中文唱

　　　　　　　　　　chàng Zhōngwén gē

　　　　　　　　　　gē hěn hǎotīng

报纸的记者　　　　　chàng gē chàng de bǐ tā hǎo　　记者正在采访

　　　　　　　　　　bàozhǐ de jìzhě

歌很好听　　　　　　jùlèbù de huìyuán　　　　　　歌不容易学

　　　　　　　　　　qǐng huìyuán jiāo nǐmen

俱乐部的会员　　　　yòng Zhōngwén chàng　　　　请会员教你们

　　　　　　　　　　jìzhě zhèngzài cǎifǎng

（三）根据每张图片用所给的词语说一句话。

yòng
用

bǐsài
比赛

hǎoting
好听

jiāo
教

de bǐ
得，比

huìyuán
会员

（四）用所给的词语造句。

(1)

| 词 语 | 例 句 |
|---|---|
| 打篮球，好 | 他打篮球打得比我好。/他打篮球比我打得好。 |
| 说汉语，多 | |
| 写汉字，漂亮 | |
| 回答问题，清楚 | |

(2)

| 词 语 | 例 句 |
|---|---|
| 用，中文 | 他喜欢用中文给笔友写信。 |
| 用，英文 | |
| 用，法文 | |

（五）回答问题。

Nǐ yǒu méi yǒu tīngguo Zhōngwén gē?　shì shénme gē?
(1) 你有没有听过中文歌？是什么歌？

Nǐ huì chàng Zhōngwén gē ma?　Huì chàng nǎ yí ge gē?
(2) 你会唱中文歌吗？会唱哪一个歌？

Yàoshì nǐ bú huì,　Nǐ xiǎng xué ma?
(3) 要是你不会，你想学吗？

Nǐ de tóngxué、 lǎoshī,　shuí chànggē chàng de hǎo?
(4) 你的同学、老师，谁唱歌唱得好？

Nǐ huì yòng Zhōngwén xiě xìn ma?
(5) 你会用 中文写信吗？

Nǐ huì yòng kuàizi　chī fàn ma?
(6) 你会用筷子 (chopsticks) 吃饭吗？

144

（六）看拼音写汉字。

(1) Zhè gè xiǎojiě shì xuéxiào bàozhǐ de jìzhě, yě shì wǒmen de huìyuán.

_____，_____。

(2) Wǒ kěyǐ jiāo nǐmen chàng Zhōngwén gē, nǐmen xiǎng xué ma?

_____，_____?


（七）翻译。

(1) 我是一个中学生，我的爱好很多，除了爱好运动和互联网，我还喜欢汉语。我是学校中文俱乐部的会员。

(2) 现在我们俱乐部正在教中文歌，因为学校每年有一个用中文唱歌的比赛，我们请马老师教我们，她唱歌唱得好极了。

(3) 我还是俱乐部中文报纸的记者，常常在学校里采访老师和同学，互联网上有我写的新闻，你有没有看过？

(4) 明年我就毕业了，我想暑假到中国去。为什么？因为我要去看看我的笔友，现在我们常常用中文写电子邮件，他是我的新朋友。

## 附：练习答案
（一）练习1

(1)✓　　(2)×　　(3)×　　(4)✓　　(5)✓　　(6)×　　(7)×　　(8)✓

（二）练习6

(1) 这个小姐是学校报纸的记者，也是我们的会员。

(2) 我可以教你们唱中文歌，你们想学吗？


＊　课堂活动建议

大家学唱一首中文歌，如果有条件，可以组织一次小型的比赛。

 **三、语言点与背景知识提示**

（一）用＋名词＋动词

这个格式表示用某种工具或方法完成某种动作，"用＋名词"充当后边动词的状语。例如：

> 我们用中文唱歌。
> 中国人用筷子吃饭。
> 他用英文写信。


（二）复杂的比较句（A＋动词＋宾语＋动词＋得＋比＋B＋形容词）

我们已经学过多种形式的用"比"的比较句（详见本册第8课语言点2）。以前学过的比较句有一个共同的特点，即所比较的 A 与 B 都是名词（或名词词组）、代词。本课学习的用"比"的比较句比较复杂，A 后有动词，还有宾语，当跟 B 进行比较时，一定要重复前边的动词，一般有两种格式：

（1）A＋动词＋宾语＋动词<sub>重复</sub>＋得＋比＋B＋形容词：

　　　马小姐唱歌唱得比我好。

　　　他说汉语说得比我流利。

　　　我写汉字写得比她漂亮。

（2）A＋动词＋宾语＋比＋B＋动词<sub>重复</sub>＋得＋形容词：

　　　马小姐唱歌比我唱得好。

　　　他说汉语比我说得流利。

　　　我写汉字比她写得漂亮。


（三）歌曲《茉莉花》

江苏民歌《茉莉花》是一首人们喜听爱唱的民间小调。它不仅深受中国人民所喜爱，也为海外各国所熟知。它的歌词如下：

　　　好一朵茉莉花，好一朵茉莉花，

　　　满园花开香也香不过她，

　　　我有心采一朵戴，又怕看花的人儿骂。

　　　好一朵茉莉花，好一朵茉莉花，

　　　茉莉花开雪也白不过她，

　　　我有心采一朵戴，又怕旁人笑话。

　　　好一朵茉莉花，好一朵茉莉花，

　　　满园花开比也比不过她，

　　　我有心采一朵戴，又怕来年不发芽。


### The Song "Jasmine"

The Jiangsu folk song "Jasmine" is a ditty that people love to sing. Not only loved by Chinese people, it is also very well known to foreigners. Below are the lyrics:

A beautiful jasmine, a beautiful jasmine,

The garden is full of blooming flowers, but its fragrance is still not as fragrant as her;

I'd like to pick one and wear it, but am afraid the gardener will curse me.

A beautiful jasmine, a beautiful jasmine,

A jasmine is blooming, and even snow is not as white as her;

I'd like to pick one and wear it, but fear others will make fun of me.

A beautiful jasmine, and beautiful jasmine,

The garden is full of blooming flowers, but it still can't compare to her;

I'd like to pick one and wear it, but fear it won't bloom in coming years.

146

# 第七单元测验

## 1、听后选择。

Xinwén shuōle shénme?
新闻说了什么？

| | wūrǎn 污染 | chōu yān 抽烟 | gōngrén gōngzi 工人工资 | yòng Zhōngwén xiě xìn 用中文写信 |
|---|---|---|---|---|
| guójì xinwén (1) 国际新闻 | | | | |
| běndì xinwén (2) 本地新闻 | | | | |
| kējì xinwén (3) 科技新闻 | | | | |
| xuéxiào xinwén (4) 学校新闻 | | | | |

| | Fēizhōu fēngsú zhǎnlǎn 非洲风俗展览 | míngrén fǎngwèn xuéxiào 名人访问学校 | xinyòngkǎ 信用卡 |
|---|---|---|---|
| guójì xinwén (1) 国际新闻 | | | |
| běndì xinwén (2) 本地新闻 | | | |
| kējì xinwén (3) 科技新闻 | | | |
| xuéxiào xinwén (4) 学校新闻 | | | |

## 2、听录音判断正误。

Xiǎohǎi zhèng zài zhǔnbèi cǎifǎng.
(1) 小海正在准备采访。（　　）

Huìyuán kěyǐ yòng xinyòngkǎ fù qián.
(2) 会员可以用信用卡付钱。（　　）

Tā zuótiān zài Yìndù jiéhūn.
(3) 他昨天在印度结婚。（　　）

Lǐ xiǎojiě bú huì yòng Zhōngwén chàng zhè ge gē.
(4) 李小姐不会用中文唱这个歌。（　　）

### 3、回答问题，根据问题提示说一段话。

A.

(1) 你喜欢看新闻吗？

(2) 最近(recently)有什么新闻？

(3) 哪个新闻有意思？

B.

(1) 你的爱好是什么？你是哪个俱乐部的会员？

(2) 在学校有什么活动？

C.

(1) 你喜欢唱歌吗？你喜欢中文歌吗？

(2) 你会唱哪个歌？唱得好吗？

(3) 你还会用中文做什么？

### 4、阅读后选择正确答案填空。

| 学校活动 | |
| --- | --- |
| 星期一中午 | 采访工厂污染问题 |
| 星期一晚上 | 印度结婚风俗展览 |
| 星期二下午 | 篮球俱乐部训练 |
| 星期三下午 | 采访同学 |
| 星期四下午 | 唱中文歌比赛 |
| 星期五晚上 | 跟朋友一起去饭馆 |
| 星期六 | 用中文写新闻 |

shén me shí hou

什么时候？

Monday  Tuesday  Wednesday  Thursday

Friday  Saturday  noon  afternoon  evening

5、英汉对应。

| | |
|---|---|
| (1) 什么都知道 | pay the bill |
| (2) 正在抽烟 | write a letter in red pen |
| (3) 付帐单 | problems of pollution and drugs |
| (4) 用红笔写信 | is smoking |
| (5) 花零用钱 | journalist's tape recorder |
| (6) 记者的录音机 | knows everything |
| (7) 非洲的风俗 | spend pocket money |
| (8) 污染和毒品问题 | social customs of Africa |

6、写汉字。

(1) Lǐ xiǎojiě, wǒ shì bàozhǐ de jìzhě, xiǎng cǎifǎng nín.Wǒ kěyǐ

_____，_____，_____。_____

yòng lùyīnjī ma?

_____吗？

(2) Tā fǎngwènguo Měizhōu, zhīdào tāmen chàng gē chàng de hěn

_____，_____

hǎotīng.

_____。

(3) Wǒmen cǎifǎng de shíhou, lǎoshī zhèngzài jiāo tāmen yòng

_____，_____

Zhōngwén chàng gē.

_____。

7、翻译。

(1) 他花了很多零用钱付饭馆的账单，所以现在他的零用钱不怎么多。

(2) 记者来采访的时候，我们正在上中文课。老师请我们每个人用汉语回答记者的问题。

(3) 你有没有看今天的报纸，非洲风俗俱乐部的会员要来访问。访问以后，他们还要去美洲和印度。

（4）虽然马小姐常常抽烟，可是她唱歌唱得很好。她还是网球俱乐部的会员，打网球打得也比我们好，她什么都会。

## 8、朗读并模仿范例说说你或你的朋友。

我是……学校的学生，我们学校有很多活动，我最喜欢的是 | 唱歌
做记者
…… | ，

现在我是 | 中文歌俱乐部
记者俱乐部
…… | 的会员。我们天天都 | 训练
采访
…… | 两个钟头，我

们 | 学了很多有名的歌
采访了很多有名人
…… | ，有意思极了。每年学校还有一个 | 中文歌比赛
新闻比赛
…… | 。

每个班要 | 用中文唱歌
用英文写新闻
…… | 。我喜欢学校的活动。

# 第七单元测验部分答案

**1、听后选择。**

（1）今天的国际新闻说，地球的污染越来越多，毒品问题也越来越大。

（2）本地新闻的记者采访了非洲风俗展览，还说我们城市工人的工资越来越高。

（3）报纸上的科技新闻说，孩子抽烟比成年人抽烟更不好，还说美洲有了新的信用卡。

（4）本地名人来我们学校访问的时候，学校新闻的记者采访了他们。学校新闻还说，用中文写信的比赛快要开始了。

答案：

| | wūrǎn 污染 | chōu yān 抽烟 | gōngrén gōngzi 工人工资 | yòng Zhōngwén xiě xin 用中文写信 |
|---|---|---|---|---|
| (1) guójì xinwén 国际新闻 | ✓ | | | |
| (2) běndì xinwén 本地新闻 | | | ✓ | |
| (3) kējì xinwén 科技新闻 | | ✓ | | |
| (4) xuéxiào xinwén 学校新闻 | | | | ✓ |

| | Fēizhōu fēngsú zhǎnlǎn 非洲风俗展览 | míngrén fǎngwèn xuéxiào 名人访问学校 | xinyòngkǎ 信用卡 |
|---|---|---|---|
| (1) guójì xinwén 国际新闻 | | | |
| (2) běndì xinwén 本地新闻 | ✓ | | |
| (3) kējì xinwén 科技新闻 | | | ✓ |
| (4) xuéxiào xinwén 学校新闻 | | ✓ | |

## 2、听录音判断正误。

(1) A：小海在家吗？

　　B：不在，他去了俱乐部。

　　A：在俱乐部做什么？

　　B：他们正在准备采访校长呢。

(2) A：我可以用信用卡付钱吗？

　　B：要是你是会员就可以。

　　A：太好了。

(3) A：你有没有看展览？

　　B：什么展览？

　　A：印度展览。

　　B：我看了。昨天我去的时候，他们正在说印度结婚的风俗。

(4) A：这个歌很好听，你可以教我吗？

　　B：我不会用中文唱。你知道李小姐吗？

　　A：知道。

　　B：她会用中文唱，她唱歌唱得比我好，请她教你吧。

答案：

(1) ✓　　(2) ✓　　(3) ✗　　(4) ✗

## 4、阅读后选择正确答案填空。

| Monday noon | Thursday afternoon | Tuesday afternoon | Monday evening | Saturday |
|---|---|---|---|---|

## 6、写汉字。

(1) 李小姐，我是报纸的记者，想采访您。我可以用录音机吗？

(2) 他访问过美洲，知道他们唱歌唱得很好听。

(3) 我们采访的时候，老师正在教他们用中文唱歌。

# 第二十二课　我们一到假期就去旅行

## 教学目标

交 际 话 题：谈假期旅行计划。

语 言 点：我们一到假期就去旅行。

生 词：假期　旅行　一……就……　离开　旅行社
售票处　单程票　来回票　新西兰　到达
意外　下雪

汉 字：假　旅　单　程　离　英

 **一、基本教学步骤及练习要点**

（一）导入：问学生假期有什么打算，并用汉语说出学生提出的计划，如 Mary 一到假期就去学习游泳。小红一到假期就去图书馆工作。Ann 一到假期就去国外……让学生对主要句型有初步印象。

（二）带读生词表，朗读课文并翻译，让学生了解课文的基本内容。

（三）做练习1，熟悉一些生词的搭配及其发音和意义。

（四）做练习2，通过听包括语言点和主要生词的语段，熟悉本课词语和句型。

（五）讲解基本句型：一……就……

应提示有两种情况：

一是前后同主语，句子不断开：我们一到假期就去旅行。

一是不同主语，前后断开：老师一到教室，我们就开始上课。

（六）做练习3，几组句型练习包含了上述两种情况，并且在第三组练习中结合复习了动词重叠的句型，在第四组中复习了比较句。教师可带读，再引导学生通过朗读熟悉并理解句型。

（七）做练习4，通过翻译加深对词语和句型的认识，并结合进了学过的词语和句型。

（八）做练习5，让学生通过配图练习，加强认读能力。

（九）做练习6，通过带提示的表达训练，培养加强学生的语言运用能力。

（十）练习8 的语音练习材料，是一首宋代诗人苏轼的诗。

（十一）根据学生的水平，选做一些教师用书中的练习。

（1）练习2练习3进一步熟悉本课主要词组的形、音、义。

（2）练习4是口头表达训练。

（3）练习5通过问答搭配练习，训练学生理解在实际交际中，一些基本句型的用法。

（4）练习6结合句子表达练习汉字的书写。

（5）练习7是阅读和翻译的综合训练，结合了一些学过的词语和句型。

（6）练习8是口头表达练习，训练学生灵活地运用学过的语言项目进行语段表达。可以让学生借助提示表达，也可以鼓励汉语水平较高的学生不用提示进行自由表达。

### 附： 录音文本与练习答案

（一）练习2

录音文本

小红在北京的中学学习，这个假期她要去上海看她的奶奶，她的奶奶是一个老师。小红今天去售票处买火车票。她要买去上海的单程票。虽然买火车票的人很多，小红买到了去上海的票，她高兴极了。

（三）练习5

(1) f      (2) c      (3) d      (4) e      (5) b      (6) a

## 二、练习与课堂活动建议

### * 练习

（一）根据课文判断正误。

(1) Tom 家在新西兰。（   ）

(2) 他和哥哥想去美洲旅行。（   ）

(3) Tom 的哥哥是医生。（   ）

(4) Tom 去飞机场订票。（   ）

(5) 单程票比来回票贵。（   ）

(6) Tom 喜欢下雪的天气。（   ）

(7) 他们准备星期六离开。（   ）

(8) 天气预报说星期六会下雨。（   ）

（二）给词语配拼音。

| | | |
|---|---|---|
| (1) 单程票 | | jiàqī huódòng |
| (2) 来回票 | | chángcháng xià xuě |
| (3) 旅行社 | | shòupiàochù |
| (4) 售票处 | | dānchéngpiào |
| (5) 假期活动 | | láihuípiào |
| (6) 常常下雪 | | lǚxíngshè |

(三) 朗读词组，在你假期喜欢的活动上划上✓。

(1) qù Yàzhōu lǚxíng
去亚洲旅行

(2) qù Fēizhōu lǚxíng
去非洲旅行

(3) qù Ōuzhōu lǚxíng
去欧洲旅行

(4) qù shāngdiàn zuò jiānzhí
去商店做兼职

(5) qù gōngsi zuò jiānzhí
去公司做兼职

(6) qù fànguǎn zuò jiānzhí
去饭馆做兼职

(7) gēn péngyou yìqǐ lǚxíng
跟朋友一起旅行

(8) gēn fùmǔ yìqǐ lǚxíng
跟父母一起旅行

(9) zuò huǒchē lǚxíng
坐火车旅行

(10) zuò fēiji lǚxíng
坐飞机旅行

(四) 看图说话。

(1) Xiǎohóng yì huí jiā jiù
小红一回家就——

(2) Wǒ māma yì huí jiā jiù
我妈妈一回家就——

(3) Bàba yí dào xingqilìù jiù
爸爸一到星期六就——

(4) Dìdi yí dào xingqitiān jiù
弟弟一到星期天就——

(5) Jiějie yí dào jiàqī jiù
姐姐一到假期就——

(6) Wǒ hé péngyou yí dào jiàqī jiù
我和朋友一到假期就——

155

（五）问答搭配。

(1) Nǐ mǎi dānchéng piào ma?
你买单程票吗？

a. Zhè ge xīngqī měitiān xià yǔ.
这个星期每天下雨。

(2) Nǐ xīngqīliù xǐhuan zuò shénme?
你星期六喜欢做什么？

b. Bù, wǒ mǎi láihuí piào.
不，我买来回票。

(3) Gēge jǐ hào kǎoshì?
哥哥几号考试？

c. Wǒ yí dào xīngqīliù jiù qù kàn diànyǐng.
我一到星期六就去看电影。

(4) Nǐ shǔjià zuò shénme?
你暑假做什么？

d. Tā xīngqīsān cái kǎoshì.
他星期三才考试。

(5) Nǐ zài nǎr dìng huǒchēpiào?
你在哪儿订火车票？

e. Tā yì huíjiā jiù zuò wǎnfàn.
她一回家就做晚饭。

(6) Shòupiàochù yuǎn bù yuǎn?
售票处远不远？

f. Wǒ yí dào shǔjià jiù qù Běijīng.
我一到暑假就去北京。

(7) Māma měitiān yì huí jiā jiù zuò shénme?
妈妈每天一回家就做什么？

g. Wǒ zài lǚxíngshè dìng huǒchēpiào.
我在旅行社订火车票。

(8) Nǐmen chéngshì xiànzài tiānqì hǎo ma?
你们城市现在天气好吗？

h. Bù yuǎn, zài yóujú pángbiān.
不远，在邮局旁边。

（六）根据拼音写汉字。

(1) Wǒ yí dào jiàqī jiù qù Yīngguó.

_____。

(2) Wǒ mǎi qù Běijīng de dānchéngpiào.

_____。

（七）朗读与翻译。

我在英国的中学学习，我快要毕业了。我想一到假期就去伦敦。我想去博物馆看看。伦敦的博物馆很多，也很有意思，去伦敦的来回票不贵。我每个假期都跟朋友一起去伦敦。

（八）用提示的词语和句型，谈谈你的假期计划。

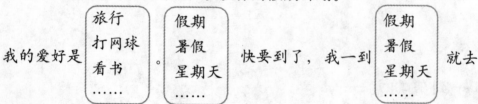

我的爱好是 ┌ 旅行 / 打网球 / 看书 / …… ┐ 。 ┌ 假期 / 暑假 / 星期天 / …… ┐ 快要到了，我一到 ┌ 假期 / 暑假 / 星期天 / …… ┐ 就去

┌ 法国／德国旅行 / 体育馆打网球 / 图书馆看书 / …… ┐ 。

我常常跟我的 ┃父母 同学 朋友 …… ┃ 一起去。

## 附： 练习答案
（一）练习1
(1) ✓　　(2) ✓　　(3) ×　　(4) ×　　(5) ✓　　(6) ✓　　(7) ✓　　(8) ×
（二）练习6
(1) 我一到假期就去英国。
(2) 我买去北京的单程票。

## ＊ 课堂活动建议
让全班学生写出自己假期最想做的三件事，用图画和中文句子表达出来，贴在墙报上。然后每个学生自由表达，试着说出同学们的计划，表达多的小组为胜。

## 三、语言点与背景知识提示

（一）一……就……

"一……就……"组成的句型前后有两个不同的动词（词组），表示一种动作或情况出现后马上出现另一个动作或发生另一种情况。有两种情况：

（1）主语相同，如：

妈妈一回家就做饭。

我们一下课就去看电影。

他一听到这个消息就给妈妈打电话。

（2）主语不同，两部分一般用逗号分开，如：

我一解释，他就明白了。

她一说完，大家就鼓起掌来。

老师一到教室，我们就问他很多问题。

注意：后一句子的主语要放在"就"的前面。


（二）中国中学的假期

中国的中学一学年有两个学期，两个假期。新的学年一般从九月初开始，到第二年一月中旬左右放寒假。第二学期一般从三月初开始，到七月初结束。暑假大约有八周。学生在假期有丰富多彩的活动，如夏令营、运动训练和比赛、文艺表演等。近年来，出国旅游或参加国外的语言学校短期学习也是中学生选择的度假方式。不少中国家庭中，父母或长辈也会利用假期带孩子去各处旅游观光。

## Chinese High School Holidays

The school year of Chinese high schools is divided into two semesters and two holidays. Each new school year generally begins in September and runs until winter break in the middle of January of the next year. The second semester generally begins in early March and ends in early July. Summer holidays lasts about eight weeks. During the summer holidays, students participate in rich and varied activities such as summer camps, athletic training and competitions, and artistic performances. In recent years, traveling abroad and attending short-term language programs abroad have become a way to spend holidays chosen by some high school students. In some Chinese families, parents or other members of the elder generation use the holidays to take their children travelling and sightseeing.

# 第二十三课　我要从美国到中国去

## 教学目标

交际话题：谈旅行路线

语　言　点：我要从美国到中国去。

从纽约到北京坐飞机去要几个小时？

从纽约到北京坐飞机去要十四个小时。

生　　　词：护照　旅行支票　银行　旅行袋　纽约

小时　停留　新加坡　旅馆　海　泰国

马来西亚　行李

汉　　　字：护　照　银　支　停　留

### 一、基本教学步骤及练习要点

（一）导入：问学生最想去什么地方，如果一个人想去非洲／亚洲／某个国家，怎么走最方便／最省钱。

（二）带读生词表，熟悉本课词语，提醒学生关注与旅行有关的词语和一些国家的名字。

（三）朗读课文并翻译讲解意思，让学生了解课文的基本内容。

（四）做练习1，熟悉一些词语的搭配及其发音和意义。

（五）做练习2，通过听力练习，熟悉本课主要句型"从某处到某处去"。

（六）讲解基本句型：从……到……去／来

完整的句型是：主语＋从＋处所词语$_1$＋到＋处所词语$_2$＋去／来

我要从美国到中国去。

他要从上海到北京来。

（七）做练习3的1)和2)，练习上述句型。

（八）讲解句型：从……到……去要……

完整的句型是：

从＋处所词语$_1$＋到＋处所词语$_2$＋某种交通方式＋去＋要＋表示时段的词语

从纽约到北京坐飞机去要十四个小时。

从北京到上海坐飞机去要几个小时？

（九）做练习3中的3)和4)，练习并掌握上述句型。

（十）做练习4，通过翻译加深对词语和句型的认识，并复习学过的词语。

（十一）做练习5，通过问答搭配练习会话、进一步掌握语言点，并加强认读能力。

（十二）做练习6，通过用问题引导的口头表达练习，加强学生的语言运用能力。

（十三）根据学生的水平，选做一些教师用书中的练习。

（1）练习2进一步熟悉本课主要词组的形音义。

（2）练习3通过填写对应的国名，复习所学的国名。

（3）练习5和练习6都是阅读理解练习。

（4）练习7是小语段的阅读和翻译的综合训练，结合复习学过的词语和句型。

（5）练习8是口头表达练习，训练学生灵活地运用学过的语言项目进行语段表达。可以通过提示表达，也可以鼓励汉语水平较高的学生不用提示自由表达。

### 附： 录音文本与练习答案

（一）练习1

(1) b　　(2) c　　(3) d　　(4) h　　(5) f　　(6) g　　(7) a　　(8) e

（二）练习2

录音文本

我是小海，我在旅行社，我要从旅行社到旅馆去。

我是小红，我在新加坡，我要从新加坡到马来西亚去。

我是Mike，我在北京，我要从北京到纽约去。

我是Tom，我在泰国，我要从泰国到日本去。

我是明明，我在中国，我要从中国到美国去。

我是Mary，我在学校，我要从旅行社到银行去。

答案：

| Name | He /she is in | He /she is going to |
|------|---------------|---------------------|
| 小海 | 7 | 2 |
| 小红 | 8 | 9 |
| Mike | 3 | 4 |
| Tom | 10 | 5 |
| 明明 | 12 | 6 |
| Mary | 11 | 1 |

（三）练习5

(1) b　　(2) d　　(3) e　　(4) f　　(5) c　　(6) a　　(7) h　　(8) g

\* 练习

（一）根据课文判断正误。

(1) Ann 要从印度到中国去。（　）

(2) Ann 去了银行和书店。（　）

(3) 从纽约到北京坐飞机要十四个小时。（　）

(4) Ann 要在北京停留七天。（　）

(5) Ann 要从北京去马来西亚。（　）

(6) Ann 在新加坡旅行的时候，想去海里游泳。（　）

(7) 明明的很多同学假期要去旅行。（　）

(8) 丽丽也要去很远的地方旅行。（　）

（二）词语对应拼音。

(1) 银行九点才开门　　　　a. tíngliú shísān ge xiǎoshí

(2) 从印度到泰国去　　　　b. hùzhào hé lǚxíng zhīpiào

(3) 从澳大利亚到新加坡去　c. yínháng jiǔ diǎn kāi mén

(4) 坐飞机去马来西亚　　　d. cóng Yìndù dào Tàiguó qù

(5) 护照和旅行支票　　　　e. cóng Àodàlìyà dào Xīn jiā pō qù

(6) 停留十三个小时　　　　f. zuò fēijī qù Mǎláixīyà

（三）找出以下国家在地图上的位置。

美国

加拿大

英国

法国

德国

澳大利亚

新西兰

埃及

日本

泰国

马来西亚

新加坡

印度

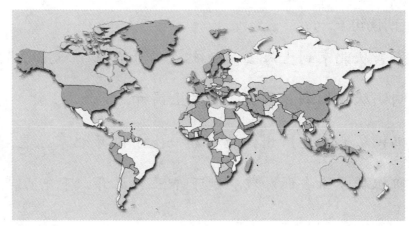

（四）给下面各图配上合适的句子。

Tā xiǎng cóng Zhōngguó de běibiān qù nánbiān lǚxíng.
(1) 他想从中国的北边去南边旅行。

Tā qù shòupiàochù mǎipiào.
(2) 他去售票处买票。

Zuò huǒchē bǐ zuò fēijī piányì de duō.
(3) 坐火车比坐飞机便宜得多。

Zuò fēijī bǐ zuò huǒchē kuài de duō
(4) 坐飞机比坐火车快得多。

Tā mǎidàole huǒchēpiào, hěn gāoxìng.
(5) 他买到了火车票，很高兴。

Tā zài huǒchē shang kàn fēngjǐng.
(6) 他在火车上看风景。

（五）朗读句子。

(1) 爸爸从北京到上海去，他七点离开北京，八点半到上海。

(2) 明明从法国到德国去。他早上离开，下午到。

(3) 妈妈从北京去广州，她星期一上午离开北京，星期二上午到广州。

(4) 姐姐从泰国去新加坡，她下午三点离开，下午五点到。

（六）根据拼音写汉字。

(1) **Wǒ de hùzhào hé zhīpiào zài lǚxíngdài li.**

——————————————————袋—。

162

(2) Wǒ yào zuò fēijī qù Shànghǎi, wǒ yào zài nàli tíngliú sān tiān.

_____，_____。

（七）朗读与翻译。

我家在中国的西边，我很想去中国的南边旅行。我今年暑假到广州去旅行。从我住的城市到广州坐火车去要二十个小时，坐飞机要三个小时。我买了火车票。我昨天离开家，我在火车上看窗外，风景很漂亮，我很高兴。

（八）小组活动。

根据ABC三人的情况，给他们出主意。告诉他们应该怎么走？你可以用1、2……列出行程的步骤，并画一个路线图使你的意思更加清楚。做好计划后在小组中说明，看谁的主意最好。

Wǒ zài Lúndūn, wǒ yǒu yí ge xingqi de jiàqi, wǒ yào qù Yìndù hé Fēizhōu.
A：我在伦敦，我有一个星期的假期，我要去印度和非洲。

Wǒ zài Yīngguó běibiān, wǒ yǒu yí ge yuè de jiàqi. Wǒ yào qù Zhōngguó hé Àodàlìyà.
B：我在英国北边，我有一个月的假期。我要去中国和澳大利亚。

Wǒ zài Běijīng, wǒ yǒu shíwǔ tiān jiàqi, wǒ yào qù Yīngguó hé Fǎguó. Wǒ xiǎng zuò huǒchē,
C：我在北京，我有十五天假期，我要去英国和法国。我想坐火车，

yě zuò Fēijī
也坐飞机。

Example:

(1) 你要从……到……去，你坐飞机／火车／汽车去……

(2) 你在……停留一天／三天……

(3) ……

附：练习答案

（一）练习6

(1) 我的护照和旅行支票在旅行袋里。

(2) 我要坐飞机去上海，我要在上海停留三天。

＊ 课堂活动建议

让学生设计一个在英国或欧洲旅行一周的计划，每人绘制自己理想的旅行路线图，并画上自己要用的交通工具。各种交通工具的票价都以旅行社的真实信息为准。在班上评选最佳旅游路线，看谁能用最少的钱，去最多的地方。

**三、语言点与背景知识提示**

（一）从……到……去／来

这个句型"从"和"到"后面分别指出行程的起点和终点。

完整的句型是：主语＋从＋处所词语＋到＋处所词语＋去／来。如：

我从中国到美国去。

他下个星期要从北京到纽约来。

我计划先从伦敦到北京去，再从北京到香港去，最后从香港到伦敦来。

（二）从……到……去＋要……

这个句型是"从…到…去／来"的扩展，完整的句型是：

从＋处所＋到＋处所＋某种交通方式＋去＋要＋表示时段的词语

(1) 此句型用来表示从 A 地到 B 地用某种交通方式需要花费多少时间。如：

从北京到上海坐飞机去要一个多小时。

从纽约到北京坐飞机去要十四个小时。

(2) 这种句型提问可以用"几"或"多少"，一般估计用的时间在十个小时以下，可以用"几"，也可以用"多少"，如果估计用的时间在十个小时以上，则一般用"多少"。如：

从伦敦到北京坐飞机去要几个小时？

从北京到广州坐火车去要多少个小时？（用"多少"的时候，可以省略量词"个"。）

本课学习的是用"几"提问的方式。

(3) 还可以用"多长时间"来提问，本课因考虑教学容量没有涉及。如：

从这里到那里走路去要多长时间？

从北京到香港坐飞机去要多长时间？

(4) 这种句型也可以在"要"后面表示花费的旅费。这里考虑教学容量，暂时没有涉及。如：

从北京到上海坐火车去要多少钱？

从这里到那里坐飞机去要九百多块钱。

（三）中国的世界遗产名录

到目前为止，中国列入《联合国世界自然文化遗产名录》的旅游点已达27处，其中3处自然遗产，20处文化遗产，4处自然文化双重遗产。北京的故宫、天坛、颐和园、长城，安徽的黄山，甘肃的敦煌莫高窟，四川的峨眉山、九寨沟，山东的曲阜孔庙和泰山，陕西的秦始皇陵及兵马俑，以及西藏的布达拉宫等都被列入了这个名录。

## China's World Heritage List

At present, China has 27 places included in the "United Nations World Natural and Cultural Heritage List", including 3 natural heritage sites, 20 cultural heritage sites and 4 natural and cultural heritage sites. The Forbidden City, Temple of Heaven, Summer Palace, and Great Wall in Beijing, the Yellow Mountains in Anhui, the Dunhuang and Mogao Grottoes in Gansu, Emei Mountain and Jiuzhaigou in Sichuan,the Confucius Temple in Qufu and Tai mountain in Shangdong, Emperor Qin's Tomb in Shaanxi, and the Potala Palace in Tibet have all been included in the list.

# 第二十四课　在中国过年

## 教学目标

**交 际 话 题：** 谈节日活动。

**语 言 点：** 我是坐飞机来的。

我们正说你们呢，你们就来了。

我把新年礼物拿来了。

**生 词：** 把 过年 舞狮 舞龙 气温 等 服务台

快乐 服务员 拿 中国新年／春节 圣诞节

**汉 字：** 加 务 拿 把 温 亚

 **一、基本教学步骤及练习要点**

（一）导入：问学生喜欢什么节日，知道中国的什么节日——复习中秋节、端午节。引出中国新年／春节。问学生对中国春节的活动有什么了解——引出本课的词语。

（二）带读生词表，熟悉词语发音和意义。

（三）带读并翻译讲解课文，也同时鼓励学生评价Tom的新年计划，问他们如果有机会自己会不会试一试。

（四）做练习1，熟悉本课的一些重要词组的发音和意义。

（五）做练习2，通过听力训练，使学生熟悉本课的词语和语言点。

（六）讲解本课的句型：是……的

完整的句型是： 主语＋是＋某种交通方式＋来／去＋（处所词语）＋的：

我是坐飞机来（北京）的。

他是坐火车去（上海）的。

（七）做练习3中的1）和2），熟悉以上句型。可以鼓励学生自己说类似的句子。

（八）讲解句型：A 正……呢，B 就……了

完整的句型是：A＋正＋动词＋宾语＋呢，B＋就＋动词＋了

我们正说你呢，你就来了。

他们正找你呢，你就来了。

（九）做练习3中的3），练习以上句型。

（十）讲解句型：主语＋把＋名词（词组）＋动词＋来＋了

他把菜拿来了。

我把新年礼物拿来了。

（十一）做练习3的4)，这个句型练习不仅练习本课的"把"字句，并且加了一个

166

复习的句型，使语义连贯，表达自然。

（十二）做练习 4，通过翻译掌握词语和句型。翻译的句子结合了一些复习的内容。

（十三）做练习 5，这是一个可以分组完成的认读练习。

（十四）做练习 6，通过讨论问题学习自由表达。

（十五）根据教学情况和学生水平，选做一些教师用书中的练习：

(1) 练习 2 熟悉词语的发音。

(2) 练习 3 是词语运用和句型理解的练习，进一步熟悉"把"字句。

(3) 练习 4 和练习 5 都是训练学生实际运用本课的句型。

(4) 练习 7 是翻译语段，结合复习了一些以前学过的词语和句型。

(5) 练习 8 是自由表达训练，应鼓励学生尽量多说，如无法全用汉语表达，也可以夹杂英语进行表达。

### 附：录音文本与练习答案

（一）练习 2

(1) 我叫明明，我爷爷奶奶的家在香港，我今年在香港跟他们一起过年。

(2) 我叫 Tom，我今天要去北京，早上我到飞机场的时候，下很大的雨。

(3) 我叫小红，今天是春节，我和朋友一起到公园看舞龙。

(4) 我叫小海，我打电话给飞机场，问服务台的服务员美国来的飞机什么时候到。

（二）练习 5

| 1 | 6 | 4 |
|---|---|---|
| 5 | 2 | 3 |

 **二、练习与课堂活动建议**

\*  练习

（一）根据课文判断正误。

(1) Mike 很想去中国过年。（　　）

(2) 小海请 Mike 去他的家过年。（　　）

(3) Mike 是坐火车去北京的。（　　）

(4) 北京冷得不得了。（　　）

(5) 小海的爸爸妈妈送 Mike 新年礼物。（　　）

(6) Mike 到北京的时候，天气很好。（　　）

(7) Mike 很喜欢中国菜。（　　）

（二）汉字对应拼音。

(1) 表演舞龙    a. fúwù tái

(2) 表演舞狮    b. fúwùyuán

(3) 新年快乐    c. Zhōngguó de fēngsú

(4) 新年礼物    d. xīnnián kuàilè

(5) 在中国过年    e. biǎoyǎn wǔ lóng

(6) 中国的风俗    f. zài Zhōngguó guò nián

(7) 服务台    g. biǎoyǎn wǔ shī

(8) 服务员    h. xīnnián lǐwù

（三）选择恰当的词语填空。

> kāfēi     wǎngqiú     qián
> a. 咖啡    b. 网球    c. 钱
>
> bàozhǐ     Hànyǔ shū     shuǐguǒ
> d. 报纸    e. 汉语书    f. 水果

Wǒ bǎ    náláile,    wǒmen dǎ wǎngqiú ba.
(1) 我把_____拿来了，我们打网球吧。

Wǒ bǎ    náláile,    wǒmen chī shuǐguǒ ba.
(2) 我把_____拿来了，我们吃水果吧。

Wǒ bǎ    náláile,    wǒmen hē kāfēi ba.
(3) 我把_____拿来了，我们喝咖啡吧。

Wǒ bǎ    náláile,    wǒmen xuéxí Hànyǔ ba.
(4) 我把_____拿来了，我们学习汉语吧。

Wǒ bǎ    náláile,    wǒmen mǎi dōngxi ba.
(5) 我把_____拿来了，我们买东西吧。

Wǒ bǎ    wǒmen kàn bàozhǐ ba.
(6) 我把_____拿来了，我们看报纸吧。

（四）看图说话。

Wǒ zhèng dǎ diànhuà ne,
我正打电话呢，
tā jiù lái le.
他就来了。

Wǒ zhèng kàn shǒubiǎo ne,
我正看手表呢，
tā jiù lái le.
他就来了。

Wǒ zhèng    ne,
我正……呢，
tā jiù lái le.
他就来了。

（五）两人一组，给问题找到对应的回答并朗读对话。

(1) 你们是怎么来北京的？　　　　　　　a. 我们是坐公共汽车去机场的。

(2) 你们是怎么去飞机场的？　　　　　　b. 拿来了，他写得好极了。

(3) 坐飞机来要几个小时？　　　　　　　c. 拿来了，我正在找广州。

(4) 你把中国地图拿来了吗？　　　　　　d. 买来了，买了一个小录音机。

(5) 你把给妹妹的生日礼物买来了吗？　　e. 要十个小时。

(6) 你把他的作业拿来了吗？　　　　　　f. 我们坐飞机来的。

（六）根据拼音写汉字。
(1) Wǒ bǎ péngyou de Zhōngwén shū náláile.

_____。

(2) Běijīng de qìwēn bù gāo , fúwùyuán shuō míngtiān xià yǔ .

_____，_____。

（七）朗读并翻译。

我是中国人，在英国的大学学习，每个假期我都回北京。虽然今年北京的冬天很冷，可是我春节去了很多地方。我去了爷爷奶奶家，祝(zhù wish)他们新年快乐。他们给我很多新年礼物。我还跟他们一起看了舞狮和舞龙。

（八）小组活动，根据提示说自己了解的各地新年风俗。
(1) 这个地方在哪儿？（中国北边／英国南边／非洲／亚洲……）
(2) 这个地方的人新年做什么？（跳舞／唱歌／表演／比赛……）
(3) 他们新年吃什么？
(4) 他们去什么地方？（广场／公园／朋友的家……）

附： 练习答案
（一）练习1
(1) ✓　(2) ✓　(3) ×　(4) ×　(5) ✓　(6) ×　(7) ✓

（二）练习3

(1) b　(2) f　　(3) a　　(4) e　　(5) c　　(6) d

（三）练习4

(1) f　(2) a　　(3) e　　(4) c　　(5) d　　(6) b

（四）练习6

(1) 我把朋友的中文书拿来了。

(2) 北京的气温不高，服务员说明天下雨。

\* **课堂活动建议**

让学生出一个板报，主题为中国节日风俗。鼓励学生把了解的中国节日风俗用图画和文字的形式表现出来，引导他们重温以前学习的中秋节和端午节的内容，并通过网络了解更多的中国风俗信息。

 **三、语言点与背景知识提示**

（一）"是…的"

"是……的"中间放动词（或动词词组）可以用来强调动作的时间、处所、方式等。此句型表示的动作是已经发生或完成的。

完整的句型是：主语＋是＋某种交通方式＋来／去＋（处所词语）＋的

本课学习的句型是强调动作的方式，如：

　　　　他们是坐火车去上海的。

　　　　我是坐飞机来这里的。

　　　　我是跟朋友一起来北京的。

除了强调方式，"是……的"句还可以用来强调时间、处所等，本课暂未涉及。如：

　　　　我是昨天来的。　　　　　　　　（强调时间）

　　　　我们的汉语老师是去年来英国的。（强调时间）

　　　　他是从伦敦来的。　　　　　　　（强调处所）

　　　　我是从这个学校毕业的。　　　　（强调处所）

（二）A 正…呢，B 就…了

这种句型表示某个动作正在进行中，另一个动作发生了。

完整的句型是：A＋正＋动词＋宾语＋呢，B＋就＋动词＋了如：

　　　　我们正说他呢，他就来了。

　　　　他们正说话呢，电话就响了。

　　　　我正看电视呢，他们的车就到了。

应注意：后一主语 B 应放在"就"前面。

170

（三）"把"字句

"把"是一个介词，"把＋名词"放在动词前面，这种形式有表示动词对这个名词进行处置的意思。"把"后面的名词一般是动词的宾语。

完整的句型是：主语＋把＋名词（词组）＋动词＋来＋了。如：

> 他把新年礼物拿来了。

> 妈妈把这本书拿来了。

"把"字句的用法比较复杂，应注意以下几个基本问题：

（1）"把"字句的动词要带其他成分，本课的句型是在动词后加"来／去"等表示趋向的词。其他形式，如重叠动词或加"了"也比较常见。如：

> 我要把衣服洗洗。

> 他把茶喝了。

（2）"把"后的名词应是确指的，前面常有定语，或指对话双方都明确的事物。如：

> 你把这封信给他。

> 我把汉语书拿走了。

（3）"把"字句的动词一般是能够带宾语的动词，一般能支配和影响"把"后的名词。如：

> 我去把菜拿来。

> 他把桌子搬出去了。

（四）中国的春节

春节是中国民间最隆重的传统节日，时间是中国农历的一月一日，即正月初一。节日活动一般从除夕开始，持续到正月十五。春节习俗主要有：

吃年夜饭：除夕（春节前一天）吃年夜饭，合家团聚。

拜年：人们要给长辈拜年，亲友、熟人之间也互相祝贺新的一年平安健康，万事如意。

放爆竹，爆竹为中国特产，也叫"鞭炮"。人们燃放爆竹以示庆贺。

贴春联：在红纸上写上美好的祝愿贴在门上。

贴"福"字：人们喜欢在门楣上贴大大小小的"福"字，有的还故意把"福"字倒贴，表示"福到了"。

举行舞龙舞狮等娱乐活动，增加节日的喜庆气氛。

## China's Spring Festival (Chinese New Year)

Spring Festival is the most important traditional festival in China. It takes place on the first day of the first month of the Chinese lunar calendar. The festival's activities generally begin on the Lunar New Year's Eve, and last through the fifth day of the first month of the lunar year. The main customs of Spring Festival are as follows:

The New Year's Eve family reunion dinner: The whole family eats together on the eve of

Spring Festival.

Paying New Year's calls: People visit the elders in the family to pay them a New Year's call, and relatives and friends wish each other a healthy, safe and happy new year.

Setting off firecrackers: Firecrackers are a specialty of China. People set off the firecrackers to express their happiness.

Pasting Spring Festival couplets: People write wishes on red paper and paste them on the door.

Pasting "fu" (which means "luck") characters: People like to paste both big and small "fu" characters on the lintel of their doors. Some people intentionally paste the character upside down to express the meaning "luck has arrived". (The character that means "upside down" has the same pronunciation as the character meaning "arrive".)

# 第八单元测验

## 1、听录音，用英语填空。

| | She /he is my ... | She/he is in... |
|---|---|---|
| Xiǎohóng | I myself | |
| Míngming | | |
| Tom | | |
| Xiǎohǎi | | |

| | She/he is going to... | She/he will go by... |
|---|---|---|
| Xiǎohóng | | |
| Míngming | | |
| Tom | | |
| Xiǎohǎi | | |

## 2、谈谈你的假期。

你去了什么地方？

你跟谁一起去？

你是怎么去的？（是坐飞机……去的）

票好买吗？你买了来回票吗？

那个地方的天气好不好？（下雨／下雪／有雾／很好……）

你从这个地方去……坐火车／飞机／开车……要几个小时？

那个地方有意思吗？

## 3、汉字对应拼音。

(1) 在售票处买飞机票　　a. xīnnián kuàilè

(2) 在银行拿旅行支票　　b. zài shòupiàochù mǎi fēijīpiào

(3) 把朋友的礼物拿来　　c. qù Mǎláixīyà

(4) 一到假期就去英国　　d. mǎi láihuí piào

(5) 去马来西亚　　e. zài yínháng ná lǚxíng zhīpiào

(6) 买来回票　　f. wǔ lóng biǎoyǎn

(7) 舞龙表演　　g. bǎ péngyou de lǐwù nálái

(8) 新年快乐　　h. yí dào jiàqī jiù qù Yīngguó

4、给问题选择对应的回答。

(1) 你假期想做什么？　　　　　　　　a. 他是坐飞机去的。

(2) 你去过那个地方吗？　　　　　　　b. 他把我的旅行袋拿来了。

(3) 他把什么拿来了？　　　　　　　　c. 坐飞机去要两个小时。

(4) 你弟弟是怎么去台湾的？　　　　　d. 我没去过那个地方。

(5) 从上海到北京坐飞机去要几个小时？e. 我一到假期就去法国。

(6) 今年春节你去哪儿？　　　　　　　f. 春节我从英国到印度去。

5、读下列语段，并判断正误。

　　我这个假期去了中国。我在北京过年。我是坐飞机去的。我在北京去了长城和故宫，还看了舞狮和舞龙。饭店的服务员很好，我跟他们说汉语，他们很高兴。他们也喜欢说英语。我还到了上海，我是坐火车去上海的，我在上海停留了三天。

(1) I spent New Year's Day in Shanghai.(　　)

(2) I went to Beijing by plane.(　　)

(3) I have been to the Great Wall and the Imperial Palace.(　　)

(4) I spoke English with the staff in the hotel because they could not speak English. (　　)

(5) I stayed in Shanghai for one week.(　　)

6、根据拼音写汉字。

(1) Wǒ yí dào jiàqī jiù qù lǔxíng. Wǒ jīntiān bǎ hùzhào ná lái le.

_____。

(2) Wǒ de péngyou yào qù Měizhōu, wǒ yào qù Yàzhōu.

_____。

(3) Wǒ zài Běijīng tíngliú sān tiān.

_____。

7、翻译。

(1) 我们班很多同学一到假期就去旅游。我去法国，我的朋友Mike去新加坡。我没去过亚洲，我也想去。

(2) 我家在上海，今年春节我从上海到北京去。我在北京的爷爷奶奶家过年。

（3）我暑假去了广州。我是坐火车去的。我在旅行社订了来回票。来回票比单程票便宜。

（4）我的朋友去了澳大利亚，她买了很多纪念品。今天她把给我的礼物拿来了。我很喜欢她送我的礼物。

# 第八单元测验部分答案

## 1、听录音，用英语填空。

录音文本：

我叫小红，我在北京的中学学习。我要从北京到上海去。我坐飞机去。

明明是我的同学，也是我的朋友。他家也在北京。他想从北京到伦敦去，他买了飞机票。

Tom是我的英国笔友，我们常常写电子邮件。他要从英国到中国来。他来北京过年。

小海是我的哥哥。他在广州的大学学习英语。他假期要从广州来北京。火车票很难买，他买到了星期三的火车票，他很高兴。

## 3、汉字对应拼音。

(1) b　(2)e　(3)g　(4)h　(5)c　(6)d　(7)f　(8) a

## 4、给问题选择对应的回答。

(1) e　(2)d　(3)b　(4)a　(5)c　(6)f

## 5、读下列语段，并判断正误。

(1)×　(2)√　(3)√　(4)×　(5)×

## 6、根据拼音写汉字。

(1) 我一到假期就去旅行，我今天把护照拿来了。

(2) 我的朋友要去美洲，我要去亚洲。

(3) 我在北京停留三天。

3-01 期 qī 12画

3-02 语 yǔ 9画

3-01 性 xìng 8画

3-02 外 wài 5画

3-01 出 chū 5画

3-01 邮 yóu 7画

3-01 从 cóng 4画

3-01 住 zhù 7画

| 3—02 shì 8画 | 3—03 gěi 9画 |
| 3—02 kě 5画 | 3—03 è 10画 |
| 3—02 qǐng 10画 | 3—03 mǎi 8画 |
| 3—02 liàn 8画 | 3—03 tí 12画 |

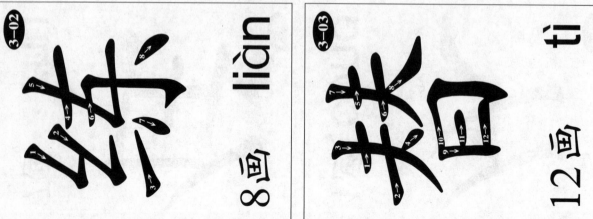

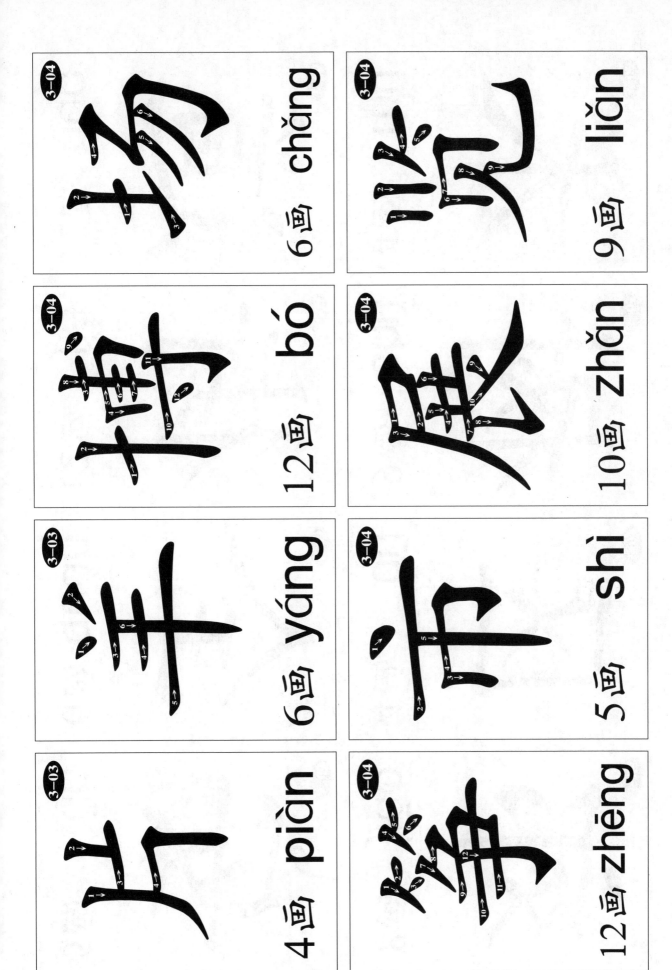

場 6画 chǎng

3-04

殓 9画 liǎn

3-04

博 12画 bó

3-04

展 10画 zhǎn

3-04

羊 6画 yáng

3-03

示 5画 shì

3-04

片 4画 piàn

3-03

缮 12画 zhěng

3-04

土 tǔ 3画

本 běn 5画

路 lù 13画

公 gōng 4画

洗 xǐ 9画

母 mǔ 5画

父 fù 4画

先 xiān 6画

3—06

3—06

3—06

3—06

3—07

3—07

3—07

3—07

3-10　对　duì　5画

3-11　救　xì　6画

3-10　题　tí　15画

3-11　操　cāo　16画

3-10　答　dá　12画

3-11　烧　shāo　10画

3-10　问　wèn　6画

3-11　活　huó　9画

困　7画　kùn

错　13画　cuò

成　6画　chéng

助　7画　zhù

队　4画　duì

帮　9画　bāng

才　3画　cái

难　10画　nán

3-13 11画 jiǎo

3-14 10画 jiā

3-13 9画 bēi

3-14 9画 zhǒng

3-13 6画 ěr

3-13 9画 wèi

3-13 9画 yào

3-13 4画 yá

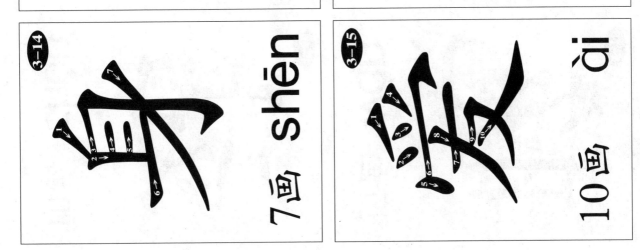

猫 11画 māo

猴 10画 hóu

熊 14画 xióng

靥 14画 yǎn

蓉 12画 zhǔ

信 9画 xìn

晚 11画 wǎn

就 10画 zhàn

| 3-17 | 毒 | 10画 | dú |
| 3-18 | 山 | 3画 | shān |
| 3-17 | 接 | 7画 | jī |
| 3-18 | 爬 | 8画 | pá |
| 3-17 | 警 | 12画 | jǐng |
| 3-17 | 桥 | 10画 | qiáo |
| 3-17 | 植 | 12画 | zhí |
| 3-17 | 河 | 8画 | hé |

3-18　雷　léi　13画

3-18　云　yún　4画

3-18　林　lín　8画

3-18　森　sēn　12画

3-19　抽　chōu　8画

3-19　洲　zhōu　9画

3-19　度　dù　9画

3-19　仿　fǎng　6画

著 8画 zhě

正 5画 zhèng

记 5画 jì

绿 8画 lù

知 8画 zhī

采 8画 cǎi

烟 10画 yān

用 5画 yòng

繁 11画 jiāo 3-21

露 10画 lí 3-22

纸 7画 zhǐ 3-21

假 11画 jiǎ 3-22

报 7画 bào 3-21

员 7画 yuán 3-21

鼓 14画 gē 3-21

姐 8画 jiě 3-21

3—22　程　12画　chéng

3—23　支　4画　zhī

3—22　单　8画　dān

3—23　继　11画　yín

3—22　旅　10画　lǚ

3—23　照　13画　zhào

3—22　英　8画　yīng

3—23　护　7画　hù